#서술형
#해결전략
#문제해결력
#요즘수학공부법

수학도
독해가
힘이다

Chunjae
Maketh
Chunjae

▼

기획총괄	박금옥
편집개발	윤경옥, 김미애, 박초아, 이은혜, 조선현,
	김연정, 김수정, 김유림, 남태희
디자인총괄	김희정
표지디자인	윤순미, 김지현, 이주영
내지디자인	박희춘, 이혜미
제작	황성진, 조규영

발행일	2021년 4월 15일 초판 2021년 4월 15일 1쇄
발행인	(주)천재교육
주소	서울시 금천구 가산로9길 54
신고번호	제2001-000018호
고객센터	1577-0902

수학도 독해가 힘이다

초등 수학
6·2

4차 산업혁명 시대!
AI가 인간의 일자리를 대체하는 시대가
코앞에 다가와 있습니다.

인간의 강력한 라이벌이 되어버린 AI를 이길 수 있는
인간의 가장 중요한 능력 중 하나는
바로 '독해력'입니다.

수학 문제를 푸는 데에도 이러한 '독해력'이 필요합니다.
일단 문장을 읽고 이해한 후 수학적으로 바꾸어 생각하여
무엇을 구해야 할지 알아내는 것이 수학 독해의 핵심입니다.

〈수학도 **독해가 힘이다**〉는 읽고 이해하는
수학 독해력 훈련의 기본서입니다.

Contents

수학도 **독해가 힘이다**

이 책의 **특징**

 준비 + 연습

1 문제 **해결력** 기르기

3 해결 전략을 익혀서 선행 문제 → 실행 문제를 완성!

선행 문제 해결 전략

예) 전체의 $\frac{2}{5}$가 14개일 때 전체 사과의 수 구하기

 의 $\frac{2}{5}$ → 14개

전체 사과 수

전체의 수를 □개라 하여 식을 세워 풀자.

2 선행 문제를 풀면 실행 문제를 풀기 쉬워져!

선행 문제 6

전체는 몇 개인지 구해 보세요.

(1) 전체의 $\frac{1}{3}$이 12개일 때

풀이) 전체의 수를 □개라 하면 □ × □ = 12

→ □ = 12 ÷ □ = □

실행 문제를 풀기 위한 워밍업

1 실행 문제를 푸는 것이 목표!

실행 문제 6

배터리의 $\frac{1}{4}$을 충전하는 데 35분이 걸렸습니다./
충전되는 빠르기가 일정할 때/
완전히 충전되는 데 걸리는 시간은 몇 분인가요?

전략) 배터리의 $\frac{1}{4}$을 충전하는 시간을 구하는 식을 세우자.

❶ 완전히 충전되는 데 걸리는 시간을 □분이라

하면 □ × $\frac{1}{4}$ = □ 이다.

풀이 단계별 전략 제시

전략) ❶에서 구한 식을 나눗셈식으로 나타내어 □의 값을 구하자.

❷ □ = □ ÷ $\frac{1}{4}$ = □

4 쌍둥이 문제로 실행 문제를 완벽히 익히자!

쌍둥이 문제 6-1

윤호네 밭 전체의 $\frac{4}{9}$에 깻잎을 심었습니다./
깻잎을 심은 밭의 넓이가 80 m²일 때/
윤호네 밭 전체의 넓이는 몇 m²인가요?

실행 문제 따라 풀기

❶

실행 문제 해결 방법을 보면서 따라 풀기

❷

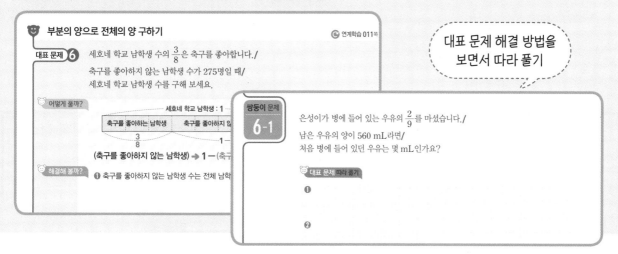

실전 2 수학 사고력 키우기

단계별로 풀면서 **사고력 UP!** 따라 풀기를 하면서 **서술형 완성!**

😊 부분의 양으로 전체의 양 구하기　　　　　　　　ⓒ 연계학습 011쪽

대표 문제 6 세호네 학교 남학생 수의 $\frac{3}{8}$ 은 축구를 좋아합니다./
축구를 좋아하지 않는 남학생 수가 275명일 때/
세호네 학교 남학생 수를 구해 보세요.

🐻 어떻게 풀까?

세호네 학교 남학생 : 1

축구를 좋아하는 남학생	축구를 좋아하지 않
$\frac{3}{8}$	$1-$

(축구를 좋아하지 않는 남학생) ➡ $1-$(축구

🐻 해결해 볼까?　❶ 축구를 좋아하지 않는 남학생 수는 전체 남학

쌍둥이 문제 6-1
은성이가 병에 들어 있는 우유의 $\frac{2}{9}$ 를 마셨습니다./
남은 우유의 양이 560 mL라면/
처음 병에 들어 있던 우유는 몇 mL인가요?

🐻 대표 문제 따라 풀기

❶

❷

> 대표 문제 해결 방법을
> 보면서 따라 풀기

완성 3 수학 독해력 완성하기

차근차근 단계를 밟아 가며 **문제 해결력 완성!**

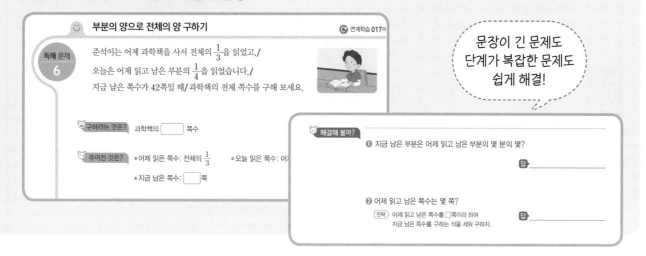

🙂 부분의 양으로 전체의 양 구하기　　　　　　　　ⓒ 연계학습 017쪽

독해 문제 6
준석이는 어제 과학책을 사서 전체의 $\frac{1}{3}$ 을 읽었고,/
오늘은 어제 읽고 남은 부분의 $\frac{1}{4}$ 을 읽었습니다./
지금 남은 쪽수가 42쪽일 때/과학책의 전체 쪽수를 구해 보세요.

🐻 구하려는 것은?　과학책의 [　] 쪽수

🐻 주어진 것은?　•어제 읽은 쪽수: 전체의 $\frac{1}{3}$　•오늘 읽은 쪽수: 어
　　　　　　•지금 남은 쪽수: [　] 쪽

🐻 해결해 볼까?
❶ 지금 남은 부분은 어제 읽고 남은 부분의 몇 분의 몇?

답 _____

❷ 어제 읽고 남은 쪽수는 몇 쪽?
전략 어제 읽고 남은 쪽수를 □쪽이라 하여
지금 남은 쪽수를 구하는 식을 세워 구하자.

답 _____

> 문장이 긴 문제도
> 단계가 복잡한 문제도
> 쉽게 해결!

특별 코너 4 창의·융합·코딩 체험하기

요즘 수학 문제인 **창의 · 융합 · 코딩** 문제 수록

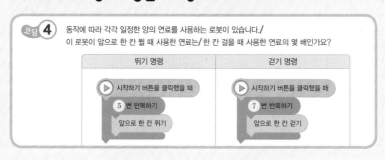

코딩 4
동작에 따라 각각 일정한 양의 연료를 사용하는 로봇이 있습니다./
이 로봇이 앞으로 한 칸 뛸 때 사용한 연료는/ 한 칸 걸을 때 사용한 연료의 몇 배인가요?

뛰기 명령	걷기 명령
▶ 시작하기 버튼을 클릭했을 때	▶ 시작하기 버튼을 클릭했을 때
5 번 반복하기	7 번 반복하기
앞으로 한 칸 뛰기	앞으로 한 칸 걷기

> 4차 산업 혁명 시대에
> 알맞은 최신 트렌드 유형

1 분수의 나눗셈

FUN 한 이야기

수민이네 집에서 청소 담당은 로봇 청소기 반짝이에요.

반짝이는 일정한 빠르기로 부지런히 청소를 한답니다.

반짝이는 1분 동안 $\frac{4}{5}$ m²를 청소할 수 있어요.

반짝이가 36 m²를 청소하려면 얼마나 걸릴까요?

수민이네 집에는 로봇 청소기가 있어요. /

로봇 청소기는 1분 동안 $\dfrac{4}{5}$ m²를 청소할 수 있어요. /

36 m²를 청소하는 데 몇 분이 걸리나요?

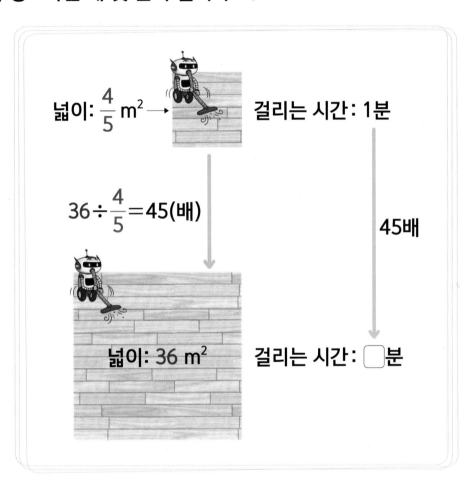

넓이: $\dfrac{4}{5}$ m² → 걸리는 시간: 1분

$36 \div \dfrac{4}{5} = 45$(배)

45배

넓이: 36 m²   걸리는 시간: ☐분

청소하는 데 걸리는 시간은
(청소하는 전체 넓이)÷(1분 동안 청소하는 넓이)를
계산해서 구할 수 있어~

식 _____   답 _____ 분

{ 문제 해결력 기르기 }

① 자연수로 답을 구하는 분수의 나눗셈

선행 문제 해결 전략

예 호떡 한 개를 만드는 데 설탕이 $\frac{3}{8}$ 컵 필요할 때 설탕 4컵으로 호떡을 몇 개까지 만들 수 있는지 구하기

'몇 개 만들 수 있는지'를 구하려면 전체 양이 한 개를 만드는 양의 몇 배인지 구하자.

(전체 설탕 양) ÷ (한 개를 만드는 설탕 양)

$$=4 \div \frac{3}{8} = 4 \times \frac{8}{3} = \frac{32}{3} = \boxed{10} \frac{2}{3} \text{(배)}$$

호떡 수는 자연수이다.

➡ 호떡을 10개 까지 만들 수 있다.

선행 문제 ①

⑴ 상자 한 개를 만드는 데 $2\frac{2}{3}$ 분이 걸립니다. 40분 동안 상자를 몇 개 만들 수 있나요?

풀이 (전체 시간) ÷ (한 개를 만드는 시간)

$$= 40 \div \boxed{} = \boxed{} \text{(배)} ➡ \boxed{} \text{개}$$

⑵ 와플 한 개를 만드는 데 밀가루가 $\frac{7}{10}$ 컵 필요합니다. 밀가루 8컵으로 와플을 몇 개까지 만들 수 있나요?

풀이 (전체 밀가루 양) ÷ (한 개를 만드는 양)

$$= 8 \div \boxed{} = \boxed{} \text{(배)} ➡ \boxed{} \text{개}$$

실행 문제 ①

케이크 한 개를 만드는 데 우유가 $\frac{1}{5}$ L 필요합니다. / 우유가 한 병에 $\frac{3}{4}$ L씩 2병 있다면 / 케이크를 몇 개까지 만들 수 있나요?

❶ (전체 우유의 양)

$$= \frac{3}{4} \times \boxed{} = \boxed{} \text{(L)}$$

❷ (전체 우유의 양) ÷ (한 개를 만드는 우유의 양)

$$= \boxed{} \div \frac{1}{5} = \boxed{} \text{(배)}$$

전략 케이크 수는 자연수이다.

❸ 케이크를 $\boxed{}$ 개까지 만들 수 있다.

답 _____

쌍둥이 문제 1-1

주스를 한 명에게 $\frac{5}{8}$ L씩 나누어 주려고 합니다. / 주스가 한 병에 2 L씩 3병 있다면 / 주스를 몇 명까지 나누어 줄 수 있나요?

실행 문제 따라 풀기

❶

❷

❸

답 _____

② 나눗셈의 몫보다 1 작은 수(1 큰 수) 구하기

선행 문제 해결 전략

예 길이가 8 cm인 끈을 2 cm씩 모두 잘랐을 때 자른 횟수 구하기

> (도막의 수)
> ＝(전체 길이)÷(한 도막의 길이)
> ＝8÷2＝4(도막)
>
> (자른 횟수)
> ＝(도막의 수)－1
> ＝4－1＝3(번)

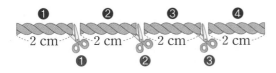

❶ ➋ ➌ ➍
2 cm 2 cm 2 cm 2 cm
❶ ➋ ➌

> **자른 횟수는 도막의 수보다 1 작다.**

선행 문제 ②

길이가 15 m인 철사를 3 m씩 모두 잘랐습니다. 물음에 답하세요.

⑴ 모두 몇 도막이 되었나요?

풀이 (도막의 수)
＝(전체 길이)÷(한 도막의 길이)
＝□÷□＝□(도막)

⑵ 모두 몇 번을 잘랐나요?

풀이 (자른 횟수)
＝(도막의 수)－□
＝□－□＝□(번)

실행 문제 ②

아버지께서 길이가 $8\frac{1}{4}$ m인 통나무를/

$\frac{11}{12}$ m씩 모두 자르려고 합니다./

모두 몇 번을 잘라야 하나요?

$\frac{11}{12}$ m

❶ (도막의 수)

$=8\frac{1}{4}÷\boxed{}=\boxed{}$(도막)

전략 (자르는 횟수)＝(도막의 수)－1

❷ (자르는 횟수)

$=\boxed{}-\boxed{}=\boxed{}$(번)

답 ＿＿＿＿＿＿＿＿＿

쌍둥이 문제 2-1

은석이는 길이가 $7\frac{1}{5}$ m인 색 테이프를/

$\frac{9}{10}$ m씩 모두 자르려고 합니다./

모두 몇 번을 잘라야 하나요?

$\frac{9}{10}$ m

실행 문제 따라 풀기

❶

❷

답 ＿＿＿＿＿＿＿＿＿

분수의 나눗셈

7

{ 문제 해결력 기르기 }

③ □ 안에 들어갈 자연수 구하기

선행 문제 해결 전략

• 분수의 나눗셈식을 곱셈식으로 나타내기

> 분수의 나눗셈의 계산 방법에 따라 계산하면 곱셈식으로 간단히 나타낼 수 있어.

$$9 \div \frac{3}{5} = (9 \div 3) \times 5 = 3 \times 5$$

(예) $9 \div \dfrac{3}{\square}$ 을 곱셈식으로 간단히 나타내기

$$9 \div \frac{3}{\square}$$

$$= (9 \div 3) \times \square$$

$$= 3 \times \square$$

선행 문제 ③

분수의 나눗셈식을 곱셈식으로 나타내어 보세요.

(1)
$$10 \div \frac{2}{\bullet}$$

(풀이) $10 \div \dfrac{2}{\bullet} = (10 \div \square) \times \bullet$

$$= \square \times \bullet$$

(2)
$$42 \div \frac{7}{\blacksquare}$$

(풀이) $42 \div \dfrac{7}{\blacksquare} = (42 \div \square) \bigcirc \blacksquare$

$$= \square \bigcirc \blacksquare$$

실행 문제 ③

□ 안에 들어갈 수 있는 자연수를 모두 구해 보세요.

$$25 < 24 \div \frac{6}{\square} < 40$$

(전략) 분수의 나눗셈식을 곱셈식으로 간단히 나타내자.

❶ $24 \div \dfrac{6}{\square} = (24 \div \square) \times \square$

$$= \square \times \square$$

(전략) ❶에서 구한 곱셈식을 이용하여 문제의 식을 정리하자.

❷ $25 < \square \times \square < 40$

➡ □ 안에 들어갈 수 있는 자연수:

_____

답 _____

쌍둥이 문제 ③-1

□ 안에 들어갈 수 있는 자연수를 모두 구해 보세요.

$$16 < 35 \div \frac{5}{\square} < 33$$

(실행 문제 따라 풀기)

❶

❷

답 _____

4 **단위량을 구해 문제 해결하기**

선행 문제 해결 전략

예 무게가 $\frac{8}{9}$ kg인 고무관의 길이가 $1\frac{3}{5}$ m일 때

고무관 **1 m**의 무게 구하기

(고무관 $1\frac{3}{5}$ m의 무게)$=\frac{8}{9}$ **kg**

$\div 1\frac{3}{5}$ $\div 1\frac{3}{5}$

(고무관 **1 m**의 무게)$=\frac{8}{9}\div 1\frac{3}{5}$ (kg)

길이로 나눈다.

(1 m의 무게)=(무게)÷(길이)

(휘발유 1 L로 가는 거리)=(거리)÷(휘발유 양)

(1시간 동안 가는 거리)=(거리)÷(시간)

선행 문제 4

세미는 자전거를 타고 일정한 빠르기로 $\frac{4}{15}$ km를

가는 데 $\frac{1}{5}$분이 걸렸습니다. 같은 빠르기로 1분 동

안 가는 거리는 몇 km인가요?

풀이 $\left(\frac{1}{5}분 동안 가는 거리\right)=\frac{4}{15}$ km

$\div\frac{1}{5}$ $\div\boxed{}$

(1분 동안 가는 거리)$=\boxed{}$ km

실행 문제 4

휘발유 $\frac{5}{8}$ L로 $8\frac{1}{3}$ km를 가는 자동차가 있습니다./

이 자동차는 휘발유 9 L로 몇 km를 갈 수 있나요?

❶ 9 L로 갈 수 있는 거리를 구하려면

먼저 $\boxed{}$ L로 갈 수 있는 거리를 구해야 한다.

전략 (간 거리)÷(휘발유 양)

❷ (휘발유 1 L로 갈 수 있는 거리)

$=\boxed{}\div\frac{5}{8}=\boxed{}$ (km)

❸ (휘발유 9 L로 갈 수 있는 거리)

$=\boxed{}\times 9=\boxed{}$ (km)

답 _____

쌍둥이 문제 4-1

굵기가 일정한 통나무 $4\frac{1}{2}$ kg의 길이는 $\frac{3}{5}$ m입

니다./ 이 통나무 8 m의 무게는 몇 kg인가요?

실행 문제 따라 풀기

❶

❷

❸

답 _____

문제 **해결력** 기르기

⑤ 양초가 탄 길이(시간) 구하기

선행 문제 해결 전략

예 양초가 탄 시간과 탄 양초의 길이 구하기

길이가 10 cm인 양초에 불을 붙인 다음 $\frac{5}{6}$시간 후에 타고 남은 양초의 길이를 재어 보니 $7\frac{3}{4}$ cm였습니다.

10cm → $\frac{5}{6}$시간 후 → $7\frac{3}{4}$cm

(양초가 탄 시간)$=\dfrac{5}{6}$시간

(탄 양초의 길이)

$$=10-7\frac{3}{4}=2\frac{1}{4}\ (\text{cm})$$

선행 문제 ⑤

다음을 읽고 양초가 탄 시간과 탄 양초의 길이를 구해 보세요.

길이가 $12\frac{1}{2}$ cm인 양초에 불을 붙인 다음 $\frac{7}{10}$시간 후에 타고 남은 양초의 길이를 재어 보니 9 cm였습니다.

풀이 (양초가 탄 시간)$=$ ◻ 시간

(탄 양초의 길이)

$=$(처음 양초의 길이)$-$(남은 양초의 길이)

$=$ ◻ $-9=$ ◻ (cm)

실행 문제 ⑤

길이가 15 cm인 양초가 있습니다. /
이 양초에 불을 붙인 다음 $\frac{3}{4}$시간 후에 /
타고 남은 양초의 길이를 재니 $10\frac{4}{5}$ cm였습니다. /
양초는 1시간 동안 몇 cm만큼 타는 셈인가요?

❶ (양초가 탄 시간)$=$ ◻ (시간)

전략 (처음 양초의 길이)$-$(남은 양초의 길이)

❷ (탄 양초의 길이)

$=15-$ ◻ $=$ ◻ (cm)

전략 (탄 양초의 길이)$\div$(양초가 탄 시간)

❸ (1시간 동안 타는 양초의 길이)

$=$ ◻ $\div$ ◻ $=$ ◻ (cm)

답 _____

쌍둥이 문제 5-1

길이가 $11\frac{3}{8}$ cm인 양초가 있습니다. /
이 양초에 불을 붙인 다음 $1\frac{1}{6}$시간 후에 /
타고 남은 양초의 길이를 재니 7 cm였습니다. /
양초는 1시간 동안 몇 cm만큼 타는 셈인가요?

실행 문제 따라 풀기

❶

❷

❸

답 _____

1

분수의 나눗셈

10

⑥ 부분의 양으로 전체의 양 구하기

선행 문제 해결 전략

예 전체의 $\frac{2}{5}$가 14개일 때 전체 사과의 수 구하기

 의 $\frac{2}{5}$ → 14개

전체 사과 수

전체의 수를 □개라 하여 식을 세워 풀자.

$$\square \times \frac{2}{5} = 14$$

$$\rightarrow \square = 14 \div \frac{2}{5} = \overset{7}{14} \times \frac{5}{2}_{1} = 35$$

전체 사과의 수: 35개

선행 문제 ⑥

전체는 몇 개인지 구해 보세요.

(1) | 전체의 $\frac{1}{3}$이 12개일 때

풀이 전체의 수를 □개라 하면 □ × ⬜ = 12

→ □ = 12 ÷ ⬜ = ⬜

(2) | 전체의 $\frac{4}{7}$가 32개일 때

풀이 전체의 수를 □개라 하면 □ × ⬜ = 32

→ □ = 32 ÷ ⬜ = ⬜

실행 문제 ⑥

배터리의 $\frac{1}{4}$을 충전하는 데 35분이 걸렸습니다./
충전되는 빠르기가 일정할 때/
완전히 충전되는 데 걸리는 시간은 몇 분인가요?

전략 배터리의 $\frac{1}{4}$을 충전하는 시간을 구하는 식을 세우자.

❶ 완전히 충전되는 데 걸리는 시간을 □분이라
하면 □ × $\frac{1}{4}$ = ⬜ 이다.

전략 ❶에서 구한 식을 나눗셈식으로 나타내어 □의 값을 구하자.

❷ □ = ⬜ ÷ $\frac{1}{4}$ = ⬜

❸ 완전히 충전되는 데 걸리는 시간: ⬜ 분

답 _____

쌍둥이 문제 6-1

윤호네 밭 전체의 $\frac{4}{9}$에 깻잎을 심었습니다./
깻잎을 심은 밭의 넓이가 80 m^2일 때/
윤호네 밭 전체의 넓이는 몇 m^2인가요?

실행 문제 따라 풀기

❶

❷

❸

답 _____

분수의 나눗셈

수학 사고력 키우기

자연수로 답을 구하는 분수의 나눗셈

● 연계학습 006쪽

대표 문제 ①

들이가 $6\frac{3}{4}$ L인 어항에 물이 $1\frac{1}{8}$ L 들어 있습니다. /

들이가 $\frac{9}{10}$ L인 그릇에 물을 담아 / 어항에 물을 채우려고 합니다. /

어항을 가득 채우려면 그릇으로 적어도 몇 번 부어야 하는지 구해 보세요.

주어진 것은?

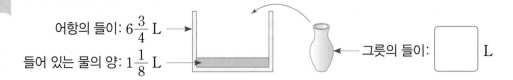

어항의 들이: $6\frac{3}{4}$ L

들어 있는 물의 양: $1\frac{1}{8}$ L

그릇의 들이: ☐ L

해결해 볼까?

❶ 어항에 물을 가득 채울 때 더 부어야 하는 물은 몇 L?

답 _____

❷ 문제를 푸는 데 알맞은 나눗셈식을 쓰면?

전략 ❶에서 구한 값을 그릇의 들이로 나누자.

식 _____

❸ 어항에 물을 가득 채울 때 그릇으로 부어야 하는 횟수는 적어도 몇 번?

전략 (❷에서 구한 몫의 자연수 부분)+1을 구하자.

답 _____

쌍둥이 문제 1-1

식당에서 소금 20 kg 중에서 $7\frac{7}{10}$ kg을 사용했습니다. /

남은 소금을 통 한 개에 $\frac{7}{10}$ kg씩 담으려고 합니다. /

소금을 모두 담으려면 통은 적어도 몇 개 필요한가요?

😊 **대표 문제 따라 풀기**

❶

❷

❸

답 _____

나눗셈의 몫보다 1 작은 수(1 큰 수) 구하기

ⓒ 연계학습 **007**쪽

대표 문제 ②

길이가 $14\frac{2}{3}$ km인 도로의 양쪽에 처음부터 끝까지/

$\frac{1}{3}$ km 간격으로 가로등을 세우려고 합니다. /

필요한 가로등의 수를 구해 보세요. / (단, 가로등의 두께는 생각하지 않습니다.)

어떻게 풀까?

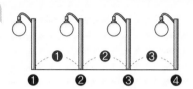

가로등 사이 간격의 수: **3**군데
가로등의 수: **4**개
➡ (가로등의 수)=(가로등 사이 간격의 수)＋**1**

해결해 볼까?

❶ 도로 한쪽에 가로등 사이 간격의 수는 몇 군데?

전략 〉 도로의 길이를 가로등 사이의 간격으로 나누자.

답 _____

❷ 도로 한쪽에 세우는 데 필요한 가로등은 몇 개?

답 _____

❸ 도로 양쪽에 세우는 데 필요한 가로등은 몇 개?

전략 〉 ❷에서 구한 답의 2배를 구하자.

답 _____

쌍둥이 문제

2-1

길이가 28 km인 길의 양쪽에 처음부터 끝까지/

$\frac{2}{5}$ km 간격으로 나무를 심으려고 합니다. /

필요한 나무는 몇 그루인가요? / (단, 나무의 두께는 생각하지 않습니다.)

대표 문제 따라 풀기

❶

❷

❸

답 _____

1

분수의 나눗셈

13

{ 수학 사고력 키우기 }

□ 안에 들어갈 자연수 구하기

연계학습 008쪽

대표 문제 3 □ 안에 들어갈 수 있는 자연수를 모두 구해 보세요.

$$8 < 6 \div \dfrac{2}{\square} < 15 \div \dfrac{3}{4}$$

어떻게 풀까?

1 $6 \div \dfrac{2}{\square}$ 를 곱셈식으로 간단히 나타내고

2 $15 \div \dfrac{3}{4}$ 을 계산한 후

3 1과 2를 이용하여 문제의 식을 정리한 후 □ 안에 들어갈 자연수를 구하자.

해결해 볼까?

❶ $6 \div \dfrac{2}{\square}$ 를 계산하여 곱셈식으로 간단히 나타내면?

식 _____

❷ $15 \div \dfrac{3}{4}$ 을 계산하면 얼마?

답 _____

❸ □ 안에 들어갈 수 있는 자연수를 모두 구하면?

전략 ❶과 ❷에서 구한 것을 이용하여 문제의 식을 정리하자.  답 _____

분수의 나눗셈

1

14

쌍둥이 문제 3-1

□ 안에 들어갈 수 있는 자연수를 모두 구해 보세요.

$$9\dfrac{1}{6} < 2 \div \dfrac{1}{\square} < \dfrac{56}{5} \div \dfrac{7}{9}$$

 **대표 문제 따라 풀기**

❶

❷

❸

답 _____

단위량을 구해 문제 해결하기

연계학습 009쪽

대표 문제 4

가 과일 가게에서는 복숭아 $\frac{5}{8}$ kg을 4000원에 팔고, /

나 과일 가게에서는 복숭아 $\frac{9}{10}$ kg을 5400원에 팝니다. /

같은 양의 복숭아를 살 때 어느 가게에서 사는 것이 더 저렴한지 구해 보세요.

주어진 것은?

• 가 과일 가게 ➡ 복숭아 무게: $\frac{5}{8}$ kg, 복숭아 가격: ☐ 원

• 나 과일 가게 ➡ 복숭아 무게: ☐ kg, 복숭아 가격: 5400원

해결해 볼까?

❶ 같은 양의 복숭아를 살 때 더 저렴한 가게는?

답 복숭아 1 kg의 가격이 더 (싼 , 비싼) 가게이다.

❷ 가와 나 과일 가게의 복숭아 1 kg의 가격은 각각 얼마?

전략 복숭아 가격을 무게로 나누자.

답 가 과일 가게 : ＿＿＿＿＿＿＿ , 나 과일 가게 : ＿＿＿＿＿＿＿

❸ 같은 양의 복숭아를 살 때 더 저렴한 가게는 어느 과일 가게?

답 ＿＿＿＿＿＿＿＿＿

쌍둥이 문제 4-1

일정한 빠르기로 승용차는 $\frac{3}{10}$ 분 동안 $\frac{8}{25}$ km를 달렸고, /

트럭은 $\frac{5}{6}$ 분 동안 $\frac{3}{4}$ km를 달렸습니다. /

승용차와 트럭 중에서 어느 것이 더 빨리 달린 것인가요?

대표 문제 따라 풀기

❶

❷

❸

답 ＿＿＿＿＿＿＿＿＿

분수의 나눗셈

양초가 탄 길이(시간) 구하기

연계학습 010쪽

대표 문제 5

길이가 $19\frac{1}{6}$ cm인 양초가 있습니다. / 이 양초에 불을 붙인 다음 1시간 후에 /

타고 남은 양초의 길이를 재니 15 cm였습니다. /

남은 양초가 모두 타는 데 걸리는 시간은 몇 시간인지 구해 보세요. /

(단, 양초가 타는 빠르기는 일정합니다.)

구하려는 것은?

[ ] 양초가 모두 타는 데 걸리는 시간

주어진 것은?

처음 양초의 길이: [ ] cm → 　1시간 후　 ← 남은 양초의 길이: [ ] cm

해결해 볼까?

❶ 1시간 동안 탄 양초의 길이는 몇 cm?

답 _____

❷ 남은 양초가 모두 타는 데 걸리는 시간은 몇 시간?

전략 남은 양초의 길이를 ❶에서 구한 길이로 나누자.

답 _____

쌍둥이 문제 5-1

길이가 $20\frac{2}{3}$ cm인 양초가 있습니다. / 이 양초에 불을 붙인 다음 1시간 후에 /

타고 남은 양초의 길이를 재니 18 cm였습니다. /

처음에 불을 붙이고 나서부터 이 양초가 모두 타는 데까지 걸리는 시간은 몇 시간인가요? /

(단, 양초가 타는 빠르기는 일정합니다.)

대표 문제 따라 풀기

❶

❷

답 _____

부분의 양으로 전체의 양 구하기

연계학습 011쪽

대표 문제 6

세호네 학교 남학생 수의 $\frac{3}{8}$ 은 축구를 좋아합니다. /

축구를 좋아하지 않는 남학생 수가 275명일 때 /

세호네 학교 남학생 수를 구해 보세요.

어떻게 풀까?

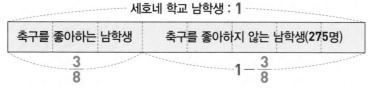

세호네 학교 남학생 : 1

축구를 좋아하는 남학생	축구를 좋아하지 않는 남학생(275명)
$\frac{3}{8}$	$1 - \frac{3}{8}$

(축구를 좋아하지 않는 남학생) ➡ **1 —** (축구를 좋아하는 남학생)

해결해 볼까?

❶ 축구를 좋아하지 않는 남학생 수는 전체 남학생 수의 몇 분의 몇?

 답 _____

❷ 전체 남학생 수를 □명이라 하여 축구를 좋아하지 않는 남학생 수를 구하는 식을 세우면?

전략 ➤ 축구를 좋아하지 않는 남학생 수는 275명이다.

 식 _____

❸ 세호네 학교 남학생은 모두 몇 명?

전략 ➤ ❷에서 세운 식에서 □의 값을 구하자.

 답 _____

쌍둥이 문제

6-1

은성이가 병에 들어 있는 우유의 $\frac{2}{9}$ 를 마셨습니다. /

남은 우유의 양이 560 mL라면 /

처음 병에 들어 있던 우유는 몇 mL인가요?

대표 문제 따라 풀기

❶

❷

❸

답 _____

분수의 나눗셈

1

STEP 3 { 수학 독해력 완성하기 }

시간을 분수로 고쳐서 계산하기

독해 문제 1

지연이는 수영을 $1\frac{1}{5}$시간 동안 했고,/ 발레를 45분 동안 했습니다./
수영을 한 시간은 발레를 한 시간의 몇 배인지 구해 보세요.

해결해 볼까?

❶ 발레를 한 시간은 몇 시간인지 기약분수로 나타내면?

전략 60분=1시간이므로 1분=$\frac{1}{60}$시간임을 이용하자. 답 ►_____

❷ 수영을 한 시간은 발레를 한 시간의 몇 배?

답 ►_____

분수의 나눗셈

18

만들 수 있는 물건의 수 구하기

독해 문제 2

공장에서 기계 한 대를 만드는 데 $\frac{7}{8}$시간이 걸립니다./
이 공장에서 하루에 $3\frac{1}{8}$시간씩 7일 동안 기계를 만든다면/
모두 몇 대를 만들 수 있는지 구해 보세요.

해결해 볼까?

❶ 기계를 만드는 시간은 모두 몇 시간?

전략 하루에 $3\frac{1}{8}$시간씩 7일 동안 만든다. 답 ►_____

❷ ❶에서 구한 시간 동안 만들 수 있는 기계는 모두 몇 대?

답 ►_____

☺ **수 카드로 분수의 나눗셈식 만들기**

독해 문제
3

수 카드 4 , 5 , 8 을 오른쪽 □ 안에 한 번씩만 써넣어/
대분수의 나눗셈식을 완성하려고 합니다./
몫이 가장 큰 나눗셈식을 만들고 계산해 보세요.

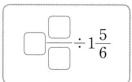

😊 해결해 볼까? ❶ 몫이 가장 큰 나눗셈식을 만들려면?

> 답 나누어지는 수를 가장 (크게 , 작게) 만들어야 합니다.

❷ 몫이 가장 큰 나눗셈식을 완성하고 계산하면?

전략 가장 큰 대분수를 만들려면 자연수 부분에 가장 큰 수를 놓자.

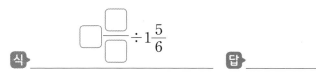

식 _____ 답 _____

☺ **처음 공을 떨어뜨린 높이 구하기**

독해 문제
4

떨어진 높이의 $\frac{3}{5}$만큼씩 튀어 오르는 공이 있습니다./
이 공을 떨어뜨려 두 번째로 튀어 오른 높이가 72 cm일 때/
처음 공을 떨어뜨린 높이를 구해 보세요.

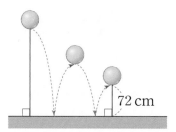

72 cm

😊 해결해 볼까? ❶ 처음 공을 떨어뜨린 높이를 ● cm라 하여 식을 쓰기

> 첫 번째로 튀어 오른 높이: ●× □
>
> 두 번째로 튀어 오른 높이: ●× □ × □ =72

❷ 처음 공을 떨어뜨린 높이는 몇 cm?

전략 ❶의 두 번째로 튀어 오른 높이를 구하는 식에서
●의 값을 구하자.

답 _____

1

분수의 나눗셈

{ 수학 독해력 완성하기 }

양초가 탄 길이(시간) 구하기

연계학습 016쪽

독해 문제 5

재우는 길이가 15 cm인 양초를 샀습니다. /

이 양초에 불을 붙인 다음 $1\frac{1}{2}$시간 후에 /

타고 남은 양초의 길이를 재었더니 $9\frac{3}{8}$ cm였습니다. /

남은 양초가 모두 타는 데 걸리는 시간은 몇 시간인지 구해 보세요. /

(단, 양초가 타는 빠르기는 일정합니다.)

구하려는 것은? 남은 양초가 모두 타는 데 걸리는 시간

주어진 것은? ● 처음 양초의 길이: ☐ cm ● 남은 양초의 길이: ☐ cm

● 양초가 탄 시간: $1\frac{1}{2}$시간

어떻게 풀까? (남은 양초가 모두 타는 데 걸리는 시간)

＝(남은 양초의 길이)÷(1시간 동안 타는 양초의 길이)이므로

먼저 1시간 동안 타는 양초의 길이를 구하자.

해결해 볼까?

❶ $1\frac{1}{2}$시간 동안 탄 양초의 길이는 몇 cm?

전략 ▷ 처음 양초의 길이에서 남은 양초의 길이를 빼자.

답 _____

❷ 1시간 동안 타는 양초의 길이는 몇 cm?

전략 ▷ 탄 양초의 길이를 양초가 탄 시간으로 나누자.

답 _____

❸ 남은 양초가 모두 타는 데 걸리는 시간은 몇 시간?

답 _____

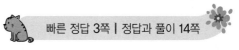

부분의 양으로 전체의 양 구하기

연계학습 017쪽

독해 문제
6

준석이는 어제 과학책을 사서 전체의 $\frac{1}{3}$을 읽었고, /

오늘은 어제 읽고 남은 부분의 $\frac{1}{4}$을 읽었습니다. /

지금 남은 쪽수가 42쪽일 때 / 과학책의 전체 쪽수를 구해 보세요.

구하려는 것은? 과학책의 [　　] 쪽수

주어진 것은?
• 어제 읽은 부분: 전체의 $\frac{1}{3}$　　• 오늘 읽은 부분: 어제 읽고 남은 부분의 [　　]

• 지금 남은 쪽수: [　　] 쪽

어떻게 풀까?

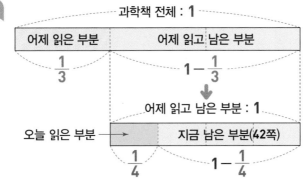

결과에서부터 거꾸로
생각하여 해결하자.

해결해 볼까?

❶ 지금 남은 부분은 어제 읽고 남은 부분의 몇 분의 몇?

답 _____

❷ 어제 읽고 남은 쪽수는 몇 쪽?

[전략] 어제 읽고 남은 쪽수를 ▢쪽이라 하여
지금 남은 쪽수를 구하는 식을 세워 구하자.

답 _____

❸ 어제 읽고 남은 부분은 전체의 몇 분의 몇?

답 _____

❹ 과학책의 전체 쪽수는 모두 몇 쪽?

[전략] 과학책의 전체 쪽수를 ○쪽이라 하여
어제 읽고 남은 쪽수를 구하는 식을 세워 구하자.

답 _____

분수의 나눗셈

1

21

{ 창의·융합·코딩 체험하기 }

 ① 음표의 이름과 길이를 나타낸 표입니다./
2분음표의 길이는 16분음표 길이의 몇 배인가요?

음표	음표의 이름	음표의 길이
o	온음표	1
♩	2분음표	온음표 길이의 $\frac{1}{2}$
♩	4분음표	온음표 길이의 $\frac{1}{4}$
♪	8분음표	온음표 길이의 $\frac{1}{8}$
♫	16분음표	온음표 길이의 $\frac{1}{16}$

답 _____

 ② 금성에서의 무게는 지구에서 무게의 $\frac{9}{10}$가 됩니다./

금성에서 은서의 몸무게가 $31\frac{1}{2}$ kg일 때/ 지구에서 은서의 몸무게는 몇 kg인가요?

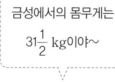

금성에서의 몸무게는 $31\frac{1}{2}$ kg이야~

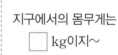

지구에서의 몸무게는 ☐ kg이지~

답 _____

융합 ③ 다음 지도의 축척은 1 : 20000으로/ 실제 거리를 $\dfrac{1}{20000}$로 축소하여 나타낸 것입니다./
다영이네 집에서 학교까지 실제 거리는 몇 m인가요?

축척 1 : 20000

답 _____

코딩 ④ 동작에 따라 각각 일정한 양의 연료를 사용하는 로봇이 있습니다./
이 로봇이 앞으로 한 칸 뛸 때 사용한 연료는/ 한 칸 걸을 때 사용한 연료의 몇 배인가요?

뛰기 명령	걷기 명령
시작하기 버튼을 클릭했을 때 5 번 반복하기 앞으로 한 칸 뛰기	시작하기 버튼을 클릭했을 때 7 번 반복하기 앞으로 한 칸 걷기
사용한 전체 연료의 양: $2\dfrac{2}{3}$ L	사용한 전체 연료의 양: $3\dfrac{4}{15}$ L

답 _____

창의 5

동현이네 집에서는 강아지 3마리를 키우는데/
하루에 3번씩 아침, 점심, 저녁에 강아지들에게 사료를 줍니다./
강아지별로 한 번에 주는 사료의 양은 다음과 같습니다./

한 번에 주는 사료의 양

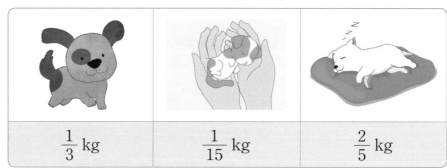

| $\frac{1}{3}$ kg | $\frac{1}{15}$ kg | $\frac{2}{5}$ kg |

동현이네 집에 사료가 모두 떨어져서 사료 12 kg을 사 왔습니다./
9월 1일 아침부터 강아지들에게 사 온 사료를 준다면/
강아지 3마리가 사 온 사료를 마지막으로 먹게 되는 때는 몇 월 며칠인지 구해 보세요.

(1) 강아지 3마리가 하루에 먹는 사료의 양은 몇 kg인가요?

답

(2) 동현이가 사 온 사료 12 kg으로 강아지 3마리에게 사료를 며칠 동안 줄 수 있나요?

답

(3) 9월 1일 아침부터 사 온 사료를 준다면 강아지 3마리가 사 온 사료를 마지막으로 먹게 되는 때는 몇 월 며칠인가요?

답

코딩 6

로봇을 이용하여 우유를 모으려고 합니다./
로봇은 젖소가 있는 칸에 가면 우유를 짜는데/
젖소 한 마리에서 짤 수 있는 우유는 $2\frac{2}{5}$ L라고 합니다./
다음 명령을 실행하여 로봇이 모은 우유를 들이가 $\frac{4}{5}$ L인 병에 모두 담으려고 합니다./
병 몇 개에 담을 수 있나요?

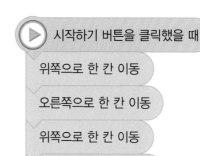

▶ 시작하기 버튼을 클릭했을 때

위쪽으로 한 칸 이동

오른쪽으로 한 칸 이동

위쪽으로 한 칸 이동

오른쪽으로 한 칸 이동

답 _____

응합 7

혈액은 우리의 온몸 구석구석을 돌아다니며/
산소와 영양분을 몸의 조직과 기관에 나누어 주고/
필요 없는 찌꺼기는 밖으로 내 보내는 역할을 합니다./
이러한 혈액의 무게는 사람의 몸무게에 따라 달라지는데/
혈액의 무게는 몸무게의 약 8 %, 즉 몸무게의 약 $\frac{2}{25}$라고 합니다./
우진이의 혈액의 무게가 약 4 kg이라면/
우진이의 몸무게는 약 몇 kg인가요?

답 약 _____

{ 실전 마무리 하기 }

단위량을 구해 문제 해결하기 ◯009쪽

1 자동차가 일정한 빠르기로 $\frac{9}{20}$ km를 가는 데 $\frac{1}{4}$분이 걸렸습니다. 이 자동차가 1분 동안 갈 수 있는 거리는 몇 km인가요?

답 _____

자연수로 답을 구하는 분수의 나눗셈 ◯006쪽

2 빵 한 개를 만드는 데 밀가루 $\frac{4}{5}$컵이 필요합니다. 밀가루 6컵으로 빵을 몇 개까지 만들 수 있나요?

답 _____

시간을 분수로 고쳐서 계산하기 ◯018쪽

3 유정이는 수학 숙제를 $1\frac{1}{3}$시간 동안 했고, 영어 숙제를 50분 동안 했습니다. 수학 숙제를 한 시간은 영어 숙제를 한 시간의 몇 배인가요?

답 _____

만들 수 있는 물건의 수 구하기 ⌒018쪽

4 공장에서 한 사람이 인형 한 개를 만드는 데 $\frac{3}{10}$ 시간이 걸립니다. 한 사람이 하루에 6시간씩 일주일 동안 인형을 만든다면 모두 몇 개를 만들 수 있나요?

 풀이

답 _____

나눗셈의 몫보다 1 작은 수(1 큰 수) 구하기 ⌒013쪽

5 길이가 $7\frac{1}{5}$ m인 길의 양쪽에 처음부터 끝까지 $\frac{3}{10}$ m 간격으로 꽃을 심으려고 합니다. 꽃은 모두 몇 송이 필요한가요? (단, 꽃의 두께는 생각하지 않습니다.)

 풀이

답 _____

□ 안에 들어갈 자연수 구하기 ⌒014쪽

6 □ 안에 들어갈 수 있는 자연수를 모두 구해 보세요.

$$3 < 12 \div \frac{6}{\square} < \frac{18}{25} \div \frac{2}{25}$$

 풀이

답 _____

27

{ 실전 **마무리** 하기 }

양초가 탄 길이(시간) 구하기 ⟲010쪽

7 길이가 $16\frac{1}{3}$ cm인 양초가 있습니다. 이 양초에 불을 붙인 다음 $1\frac{3}{8}$시간 후에 타고 남은 양초의 길이를 재니 9 cm였습니다. 양초는 1시간 동안 몇 cm만큼 타는 셈인가요?

풀이

답 _____

수 카드로 분수의 나눗셈식 만들기 ⟲019쪽

8 수 카드 2 , 4 , 7 을 □ 안에 한 번씩만 써넣어 대분수의 나눗셈식을 완성하려고 합니다. 몫이 가장 작은 나눗셈식을 만들고 계산해 보세요.

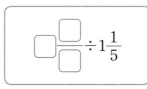

풀이

식 _____   답 _____

단위량을 구해 문제 해결하기 ↻015쪽

9 가 정육점에서는 삼겹살 $\frac{2}{5}$ kg을 6000원에 팔고, 나 정육점에서는 삼겹살 $\frac{3}{4}$ kg을 10500원에 팝니다. 같은 양의 삼겹살을 살 때 어느 가게에서 사는 것이 더 저렴한가요?

 풀이▶

답 _____

부분의 양으로 전체의 양 구하기 ↻017쪽

10 주연이네 학교 전체 학생 수의 $\frac{3}{11}$ 은 여름에 태어났습니다. 여름에 태어나지 않은 학생 수가 296명이라면 주연이네 학교 학생은 모두 몇 명인가요?

 풀이▶

답 _____

2 소수의 나눗셈

지영이네 집에서 개와 고양이를 키우고 있어요.

지영이는 개에게 사료를 0.12 kg 주고,

고양이에게 사료를 0.04 kg 주었어요.

개가 먹는 사료의 양은 고양이가 먹는 사료의 양의 몇 배인가요?

지영이네 개가 먹는 사료는 0.12 kg이고, /

고양이가 먹는 사료는 0.04 kg이에요. /

개가 먹는 사료의 양은 / 고양이가 먹는 사료의 양의 몇 배인가요?

개가 먹는 사료
0.12 kg

고양이가 먹는 사료
0.04 kg

몇 배인지 구하려면 나눗셈을 이용해야 해.
예를 들어 6은 3의 6÷3=2(배)야.

따라서 개가 먹는 사료의 양이
고양이가 먹는 사료의 양의 몇 배인지 구할 때에는
(개가 먹는 사료의 양)÷(고양이가 먹는 사료의 양)을 계산해.

식 _____

답 _____ 배

{ 문제 해결력 기르기 }

① 단위량을 구하여 문제 해결하기

선행 문제 해결 전략

예 길이가 1.8 m이고, 무게가 9 kg인 굵기가 일정한 막대 1 m의 무게 구하기

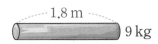
1.8 m / 9 kg

(막대 1.8 m의 무게)=9 kg

↓ ÷1.8   ↓ ÷1.8

(막대 1 m의 무게)=9÷1.8 (kg)

(1 m의 무게)=(무게)÷(길이)
길이로 나눈다.

(1 kg의 길이)=(길이)÷(무게)
무게로 나눈다.

선행 문제 ①

길이가 1.5 m이고, 무게가 30 kg인 굵기가 일정한 철근이 있습니다. 물음에 답하세요.

⑴ 철근 1 m의 무게는 몇 kg인가요?

풀이
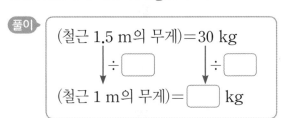
(철근 1.5 m의 무게)=30 kg
↓ ÷ ☐   ↓ ÷ ☐
(철근 1 m의 무게)= ☐ kg

⑵ 철근 1 kg의 길이는 몇 m인가요?

풀이
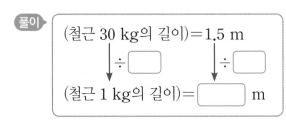
(철근 30 kg의 길이)=1.5 m
↓ ÷ ☐   ↓ ÷ ☐
(철근 1 kg의 길이)= ☐ m

실행 문제 ①

길이가 3.1 m이고, 무게가 17.36 kg인/
굵기가 일정한 철근이 있습니다./
이 철근 8 m의 무게는 몇 kg인가요?

전략 철근 3.1 m의 무게를 철근의 길이로 나누자.

❶ (철근 1 m의 무게)
  =17.36÷☐=☐ (kg)

전략 (철근 1 m의 무게)×8

❷ (철근 8 m의 무게)
  =☐×8=☐ (kg)

답 ＿＿＿＿＿＿＿＿＿＿

쌍둥이 문제 1-1

길이가 4.8 m이고, 무게가 60 kg인/
굵기가 일정한 철근이 있습니다./
이 철근 100 kg의 길이는 몇 m인가요?

실행 문제 따라 풀기

❶

❷

답 ＿＿＿＿＿＿＿＿＿＿

② 나누어 주고 남는 양 구하기

해결 전략

예) 쌀 38.4 kg을 한 사람에 5 kg씩 나누어 줄 때
나누어 줄 수 있는 사람 수와 남는 쌀의 양 구하기

> 사람 수는 자연수이므로
> 몫을 자연수 부분까지만 구해.

① 나눗셈의 몫을 자연수 부분까지 구한다.
② 나누어지는 수의 소수점 위치에 맞추어
   남는 수의 소수점을 찍는다.

$$7 \leftarrow 나누어 줄 수 있는 사람 수$$
$$5 \overline{)38.4}$$
$$35$$
$$3.4 \leftarrow 남는 쌀의 양$$

➡ 나누어 줄 수 있는 사람 수: **7명**
   남는 쌀의 양: **3.4 kg**

선행 문제 ②

나눗셈의 몫을 자연수 부분까지 구하고 남는 수를
구해 보세요.

(1) $\boxed{26.8 \div 4}$

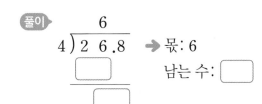

풀이
$$4 \overline{)26.8}$$
➡ 몫: 6
   남는 수: $\boxed{}$

(2) $\boxed{19.2 \div 6}$

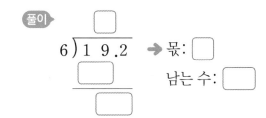

풀이
$$6 \overline{)19.2}$$
➡ 몫: $\boxed{}$
   남는 수: $\boxed{}$

실행 문제 ②

병에 들어 있는 주스 17.3 L를/
한 사람에 2 L씩 나누어 주려고 합니다./
나누어 줄 수 있는 사람 수와/ 남는 주스의 양을
각각 구해 보세요.

전략 > (전체 주스의 양)÷(한 사람에게 줄 주스의 양)

❶ 문제에 알맞은 나눗셈식 세우기:

$\boxed{} \div \boxed{}$

전략 > ❶에서 세운 나눗셈식의 몫을 자연수 부분까지 구하자.

❷
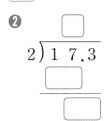
$$2 \overline{)17.3}$$

답 나누어 줄 수 있는 사람 수: _____

    남는 주스의 양: _____

쌍둥이 문제 2-1

선생님께서 리본 57.5 m를/
학생 한 명에 10 m씩 나누어 주려고 합니다./
나누어 줄 수 있는 학생 수와/ 남는 리본의 길이를
각각 구해 보세요.

실행 문제 따라 풀기

❶

❷

답 나누어 줄 수 있는 학생 수: _____

    남는 리본의 길이: _____

{ 문제 **해결력** 기르기 }

③ 어떤 수를 구하여 문제 해결하기

선행 문제 해결 전략

(예) 어떤 수에 **0.4**를 곱했더니 **6.8**이 되었을 때 어떤 수 구하기

① 어떤 수를 □라 하여 식을 쓴다.
② 곱셈과 나눗셈의 관계를 이용해서 □의 값을 구한다.

어떤 수
$$□ × 0.4 = 6.8$$

➡ $□ = 6.8 ÷ 0.4 = 17$이므로

어떤 수: **17**

곱셈식을 나눗셈식으로 고쳐서 어떤 수를 구할 수 있어.

선행 문제 ③

어떤 수를 □라 하여 식을 써 보고, 어떤 수를 구해 보세요.

(1) 어떤 수에 2.6을 곱했더니 18.2가 되었습니다.

풀이 $□ × 2.6 = 18.2$
➡ $□ = \boxed{} ÷ 2.6 = \boxed{}$이므로
어떤 수: $\boxed{}$

(2) 어떤 수를 0.12로 나누었더니 3.5가 되었습니다.

풀이 $□ ÷ 0.12 = \boxed{}$
➡ $□ = \boxed{} × 0.12 = \boxed{}$이므로
어떤 수: $\boxed{}$

실행 문제 ③

어떤 수에 2.7을 곱했더니 8.64가 되었습니다./ 어떤 수를 0.8로 나눈 몫을 구해 보세요.

전략 '어떤 수에 2.7을 곱했더니 8.64가 되었다.'를 식으로 쓰자.

❶ 어떤 수를 □라 하여 식 쓰기:

$□ × \boxed{} = \boxed{}$

전략 ❶에서 쓴 식을 나눗셈식으로 바꾸어 □의 값을 구하자.

❷ $□ = 8.64 ÷ \boxed{} = \boxed{}$
➡ 어떤 수: $\boxed{}$

❸ 어떤 수를 0.8로 나눈 몫:

$\boxed{} ÷ 0.8 = \boxed{}$

답 _____

쌍둥이 문제 3-1

어떤 수를 1.4로 나누었더니 6.5가 되었습니다./ 어떤 수를 0.7로 나눈 몫을 구해 보세요.

실행 문제 따라 풀기

❶

❷

❸

답 _____

시간 단위를 바꾸어 문제 해결하기

선행 문제 해결 전략

• 시간 단위를 바꾸어 소수로 나타내기

$$60초＝1분 \qquad 60분＝1시간$$

$$\downarrow \frac{1}{60} \quad \downarrow \frac{1}{60} \qquad\qquad \downarrow \frac{1}{60} \quad \downarrow \frac{1}{60}$$

$$1초＝\frac{1}{60}분 \qquad 1분＝\frac{1}{60}시간$$

> 초를 분으로, 분을 시간으로 바꾸어 소수로 나타내.

예 $1분\ 18초＝1\frac{18}{60}분＝1\frac{3}{10}분＝1.3분$

$$1초＝\frac{1}{60}분$$

예 $2시간\ 30분＝2\frac{30}{60}시간＝2\frac{5}{10}시간$
$$＝2.5시간$$
$$1분＝\frac{1}{60}시간$$

선행 문제 4

시간을 주어진 단위로 바꾸어 소수로 나타내어 보세요.

(1) $\boxed{8분\ 24초＝\boxed{}분}$

풀이 $8분\ 24초$
$$＝8\frac{24}{\boxed{}}분＝8\frac{\boxed{}}{10}분$$
$$＝\boxed{}분$$

(2) $\boxed{5시간\ 48분＝\boxed{}시간}$

풀이 $5시간\ 48분$
$$＝5\frac{48}{\boxed{}}시간＝5\frac{\boxed{}}{10}시간$$
$$＝\boxed{}시간$$

실행 문제 4

양초가 일정한 빠르기로 1분 36초 동안/
11.2 cm가 탔습니다./
1분 동안 탄 양초의 길이는 몇 cm인가요?

전략 양초가 탄 시간을 분 단위로 바꾸어 소수로 나타내자.

❶ 1분 36초
$$＝1\frac{\boxed{}}{\boxed{}}분＝1\frac{\boxed{}}{10}분＝\boxed{}분$$

전략 (탄 양초의 길이)÷(양초가 탄 시간)

❷ (1분 동안 탄 양초의 길이)
$$＝11.2÷\boxed{}＝\boxed{}(cm)$$

답 _____

쌍둥이 문제 4-1

희재가 일정한 빠르기로 2시간 12분 동안/
5.06 km를 걸었습니다./
1시간 동안 걸은 거리는 몇 km인가요?

실행 문제 따라 풀기

❶

❷

답 _____

⑤ 몫의 소수점 아래 숫자들의 규칙 찾기

선행 문제 해결 전략

예 4÷11의 몫의 소수점 아래 자리 수에서 반복되는 숫자 구하기

> 몫이 나누어떨어지지 않을 때 어떤 숫자가 반복되는지 규칙을 찾아보자.

```
        0.3 6 3 6
  11 ) 4.0 0 0 0
        3 3
          7 0
          6 6
            4 0
            3 3
              7 0
              6 6
                4
```

4÷11
=0.3 6/3 6/3 6/……

➜ 몫의 소수 첫째 자리부터 숫자 3, 6이 차례로 반복된다.

선행 문제 ⑤

나눗셈의 몫의 소수점 아래 자리 수에서 반복되는 숫자를 알아보세요.

(1) ⎡ 2.9÷0.6 ⎤

풀이 2.9÷0.6=4.833333……
이므로 몫의 소수 둘째 자리부터 숫자 ☐이/가 반복된다.

(2) ⎡ 30÷11 ⎤

풀이 30÷11=2.☐☐☐☐☐……
이므로 몫의 소수 첫째 자리부터 숫자 ☐, ☐이/가 반복된다.

실행 문제 ⑤

나눗셈의 몫의 소수 11째 자리 숫자를 구해 보세요.

⎡ 50÷27 ⎤

❶ 50÷27=1.☐☐☐☐☐☐……

전략 몫의 소수점 아래 자리 수에서 규칙을 찾아보자.

❷ 몫의 소수 첫째 자리부터
숫자 ☐, ☐, ☐이/가 반복된다.

전략 11을 반복되는 숫자의 개수로 나누어 소수 11째 자리에 오는 숫자를 구하자.

❸ 11÷3=3…☐이므로
몫의 소수 11째 자리 숫자는
소수 둘째 자리 숫자와 같은 ☐이다.

답 _____

쌍둥이 문제 5-1

나눗셈의 몫의 소수 15째 자리 숫자를 구해 보세요.

⎡ 18÷4.4 ⎤

실행 문제 따라 풀기

❶

❷

❸

답 _____

⑥ 기차가 완전히 지나는 데 걸리는 시간 구하기

선행 문제 해결 전략

• 기차가 터널을 완전히 지나는 데 달린 거리 구하기

기차의 맨 앞이 터널 입구를 들어가서 기차의 맨 끝이 터널 출구를 나올 때까지 달린 거리를 구하면 돼.

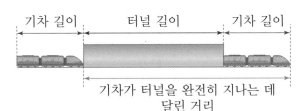

기차 길이   터널 길이   기차 길이

기차가 터널을 완전히 지나는 데 달린 거리

(터널을 완전히 지나는 데 달린 거리)
＝(터널 길이)＋(기차 길이)

선행 문제 ⑥

길이가 1.29 km인 터널이 있습니다. 길이가 0.14 km인 기차가 터널을 완전히 지나는 데 달린 거리는 몇 km인가요?

| 1.29 km | 0.14 km |

풀이 (터널을 완전히 지나는 데 달린 거리)
＝(터널 길이)＋(기차 길이)
＝ ☐ ＋ ☐
＝ ☐ (km)

실행 문제 ⑥

길이가 5.7 km인 터널이 있습니다./
길이가 0.12 km인 기차가/
1분에 1.94 km를 가는 빠르기로 달려서/
이 터널을 완전히 지나는 데 걸리는 시간은 몇 분인가요?

전략 (터널 길이)＋(기차 길이)

❶ (터널을 완전히 지나는 데 달리는 거리)
＝ ☐ ＋ ☐
＝ ☐ (km)

전략 (터널을 완전히 지나는 데 달리는 거리)
÷(1분 동안 달리는 거리)

❷ (터널을 완전히 지나는 데 걸리는 시간)
＝ ☐ ÷1.94
＝ ☐ (분)

 _____

쌍둥이 문제 6-1

길이가 514 m인 다리가 있습니다./
길이가 200 m인 전철이/
1초에 20.4 m를 가는 빠르기로 달려서/
이 다리를 완전히 지나는 데 걸리는 시간은 몇 초인가요?

실행 문제 따라 풀기

❶

❷

답 _____

{ 수학 사고력 키우기 }

😊 **단위량을 구하여 문제 해결하기**

🟢 연계학습 032쪽

대표 문제 ❶ 휘발유 2.14 L를 넣으면/ 27.82 km를 가는 자동차가 있습니다./
이 자동차에 휘발유 30 L를 넣으면/ 몇 km를 갈 수 있는지
구해 보세요.

😊 **구하려는 것은?**

휘발유 ☐ L로 갈 수 있는 거리

😊 **어떻게 풀까?**

휘발유 30 L로 갈 수 있는 거리를 구하려면
휘발유 1 L로 갈 수 있는 거리를 먼저 구해야 한다.

😊 **해결해 볼까?**

❶ 휘발유 1 L로 갈 수 있는 거리는 몇 km?

[전략] 가는 거리를 넣는 휘발유의 양으로 나누자.
답 _____

❷ 휘발유 30 L로 갈 수 있는 거리는 몇 km?

[전략] ❶에서 구한 거리에 30을 곱하자.
답 _____

쌍둥이 문제 1-1

페인트 8.75 L를 일정하게 사용하여/ 넓이가 3.5 m²인 벽을 칠했습니다./
16 m²의 벽을 칠하는 데 필요한 페인트는 몇 L인가요?

😊 **대표 문제 따라 풀기**

❶

❷

답 _____

😊 나누어 주고 남는 양 구하기

ⓒ 연계학습 033쪽

대표 문제 2 간장 25.8 L를/ 한 가구에 4 L씩 남김없이 모두 나누어 주려고 합니다./
간장이 적어도 몇 L 더 필요한지 구해 보세요.

😊 **구하려는 것은?** 남김없이 모두 나누어 주기 위해 더 필요한 최소한의 간장의 양

😊 **어떻게 풀까?**

| 간장을 남김없이 모두 나누어 준다는 말은 | 나누어 주고 나서 **남는 간장도 나누어 준다**는 뜻이야. | 간장을 나누어 주려면 **적어도 4 L가 되어야** 해. |

😊 **해결해 볼까?**

❶ 간장 25.8 L를 한 가구에 4 L씩 나누어 줄 때 나누어 줄 수 있는 가구 수와 남는 간장의 양은 각각 얼마?

[전략] 나눗셈의 몫을 자연수 부분까지 구하자.

답 나누어 줄 수 있는 가구 수: _____

남는 간장의 양: _____

❷ 남는 간장도 나누어 주려면 더 필요한 간장은 적어도 몇 L?

[전략] (한 가구에 나누어 주는 간장의 양)−(남는 간장의 양)

답 _____

쌍둥이 문제 2-1

밀가루 29.4 kg을/ 봉지 한 개에 3 kg씩 남김없이 모두 나누어 담으려고 합니다./
밀가루가 적어도 몇 kg 더 필요한가요?

😊 **대표 문제 따라 풀기**

❶

❷

답 _____

{ 수학 사고력 키우기 }

어떤 수를 구하여 문제 해결하기

ⓒ 연계학습 034쪽

대표 문제 ③

어떤 수를 0.6으로 나누어야 할 것을/
잘못하여 1.6으로 나누었더니 45가 되었습니다./
바르게 계산한 값을 구해 보세요.

구하려는 것은?
바르게 계산한 값

주어진 것은?
잘못하여 어떤 수를 [　　]으로 나누었더니 [　　]이/가 됨.

해결해 볼까?

❶ 어떤 수를 □라 하여 잘못 계산한 나눗셈식을 쓰면?

식 _____

❷ 어떤 수 □의 값은 얼마?

전략 ❶에서 쓴 나눗셈식을 곱셈식으로 바꾸어 □의 값을 구하자.

답 _____

❸ 바르게 계산한 값은 얼마?

전략 ❷에서 구한 어떤 수를 0.6으로 나누자.

답 _____

쌍둥이 문제 3-1

어떤 수를 2.3으로 나누어야 할 것을/
잘못하여 0.9를 곱했더니 12.42가 되었습니다./
바르게 계산한 값은 얼마인가요?

대표 문제 따라 풀기

❶

❷

❸

답 _____

시간 단위를 바꾸어 문제 해결하기

연계학습 035쪽

대표 문제 4

호스에서 5.3분 동안/ 21.2 L의 물이 일정하게 나왔습니다./
이 호스에서 3분 30초 동안 나온 물의 양은 몇 L인지 구해 보세요.

구하려는 것은?

호스에서 3분 ☐초 동안 나온 물의 양

주어진 것은?

호스에서 5.3분 동안 나온 물의 양: ☐ L

해결해 볼까?

❶ 호스에서 1분 동안 나온 물의 양은 몇 L?

전략 나온 물의 양을 물이 나온 시간으로 나누자.

답 _____

❷ 3분 30초는 몇 분인지 소수로 나타내면?

전략 1초＝$\frac{1}{60}$분임을 이용하자.

답 _____

❸ 호스에서 3분 30초 동안 나온 물의 양은 몇 L?

전략 1분 동안 나온 물의 양에 ❷에서 구한 시간을 곱하자.

답 _____

쌍둥이 문제

4-1

수도에서 2.8시간 동안/ 560 L의 물이 일정하게 나왔습니다./
이 수도에서 2시간 24분 동안 나온 물의 양은 몇 L인가요?

 **대표 문제 따라 풀기**

❶

❷

❸

답 _____

2

소수의 나눗셈

{ 수학 **사고력** 키우기 }

☺ 몫의 소수점 아래 숫자들의 규칙 찾기

☉ 연계학습 036쪽

대표 문제 ⑤

나눗셈 8.8÷12.1의 몫을 반올림하여 소수 10째 자리까지 나타내었을 때/
소수 10째 자리 숫자를 구해 보세요.

😀 **어떻게 풀까?**

1 반복되는 규칙 찾기   3 반올림하면 소수 10째 자리 숫자 ➡ 5

예 6÷11=0.5 4/5 4/5 4/······ /5 4/5 4/······

2 10째 ↑ ↑ 11째

참고 **반올림**: 구하려는 자리 바로 아래 자리의 숫자가 0, 1, 2, 3, 4이면 버리고, 5, 6, 7, 8, 9이 면 올려서 나타내는 방법

😀 **해결해 볼까?**

❶ 8.8÷12.1을 계산하면?

답 ⬜.⬜⬜⬜⬜⬜⬜······

❷ 소수 10째 자리 숫자와 소수 11째 자리 숫자는 각각 무엇?

전략 > 몫의 소수점 아래 자리 수에서 규칙을 찾자.

답 소수 10째 자리 숫자: _____

소수 11째 자리 숫자: _____

❸ 몫을 반올림하여 소수 10째 자리까지 나타내었을 때 소수 10째 자리 숫자는 무엇?

전략 > 소수 11째 자리에서 반올림하자.

답 _____

쌍둥이 문제 5-1

나눗셈 15÷2.2의 몫을 반올림하여 소수 25째 자리까지 나타내었을 때/
소수 25째 자리 숫자를 구해 보세요.

😀 **대표 문제 따라 풀기**

❶

❷

❸

답 _____

🙂 기차가 완전히 지나는 데 걸리는 시간 구하기

ⓒ 연계학습 037쪽

대표 문제 ❻

길이가 8.01 km인 터널이 있습니다. /
길이가 150 m인 기차가 / 1분에 1.36 km를 가는 빠르기로 달려서 /
이 터널을 완전히 지나는 데 걸리는 시간은 몇 분인지 구해 보세요.

🙂 **구하려는 것은?**

터널을 완전히 지나는 데 걸리는 시간

🐻 **주어진 것은?**

- 터널 길이: 8.01 km
- 기차 길이: [ ] m ◀── 터널 길이와 기차의 빠르기 단위가 km이므로 km 단위로 바꾸자.
- 기차의 빠르기: 1분 동안 [ ] km를 감.

🙂 **해결해 볼까?**

❶ 기차 길이인 150 m는 몇 km?

[전략] 1 m＝0.001 km임을 이용하자.

답 _____

❷ 터널을 완전히 지나는 데 달리는 거리는 몇 km?

[전략] 터널 길이에 ❶에서 구한 기차 길이를 더하자.

답 _____

❸ 터널을 완전히 지나는 데 걸리는 시간은 몇 분?

[전략] ❷에서 구한 거리를 1분 동안 달리는 거리로 나누자.

답 _____

쌍둥이 문제 6-1

길이가 11.07 km인 지하 터널이 있습니다. /
길이가 180 m인 지하철이 / 1분에 1.25 km를 가는 빠르기로 달려서 /
이 지하 터널을 완전히 지나는 데 걸리는 시간은 몇 분인가요?

🙂 **대표 문제 따라 풀기**

❶

❷

❸

답 _____

2

소수의 나눗셈

43

{ 수학 독해력 완성하기 }

몇 배인지 구하기

독해 문제 1

길이가 4.65 cm인 용수철에 추를 매달았더니/
처음 길이보다 9.3 cm만큼 늘어났습니다./
늘어난 후의 용수철 길이는/ 처음 용수철 길이의 몇 배인지 구해 보세요.

해결해 볼까?

❶ 늘어난 후의 용수철 길이는 몇 cm?

전략▷ 처음 용수철 길이에 늘어난 길이를 더하자.　답 _____

❷ 늘어난 후의 용수철 길이는 처음 용수철 길이의 몇 배?

답 _____

수 카드로 나눗셈식 만들기

독해 문제 2

수 카드 7, 4, 9, 6 을 ☐ 안에 한 번씩만 써넣어/
몫이 가장 큰 나눗셈식을 만들고 계산해 보세요.

$$\boxed{}.\boxed{}\boxed{} \div 0.\boxed{}$$

해결해 볼까?

❶ 몫이 가장 큰 나눗셈식을 만들려면?

> 나누어지는 수는 가장 (크게 , 작게),
> 나누는 수는 가장 (크게 , 작게) 만들어야 한다.

❷ ❶의 답에 알맞게 나누어지는 수와 나누는 수를 만들면?

답 나누어지는 수: __☐.☐☐__ , 나누는 수: __0.☐__

❸ 몫이 가장 큰 나눗셈식을 만들고 계산하면?

식 __☐.☐☐ ÷ 0.☐__　답 _____

😊 **기호의 규칙에 따라 계산하기**

독해 문제
3

가 ◈ 나=(가−나)÷나일 때/ 다음을 계산해 보세요.

$$(19.5 ◈ 1.5) ◈ 0.6$$

😊 해결해 볼까?

❶ 19.5 ◈ 1.5를 기호의 규칙에 따라 식을 써 보면?

전략 ▷ 가 ◈ 나=(가−나)÷나에서 가에 19.5를, 나에 1.5를 넣어 식을 쓰자.

식 _____

❷ ❶에서 쓴 식을 계산해 보면?

답 _____

❸ (❷에서 구한 값) ◈ 0.6을 계산해 보면?

답 _____

😊 **심은 나무의 수 구하기**

독해 문제
4

길이가 201.4 m인 도로 양쪽에/
처음부터 끝까지 3.8 m 간격으로 나무를 심었습니다./
심은 나무는 모두 몇 그루인지 구해 보세요./
(단, 나무의 두께는 생각하지 않습니다.)

😊 해결해 볼까?

❶ 도로 한쪽에 심은 나무 사이의 간격 수는 모두 몇 군데?

전략 ▷ 도로의 길이를 나무 사이의 간격으로 나누자.

답 _____

❷ 도로 한쪽에 심은 나무는 몇 그루?

전략 ▷ (나무의 수)=(나무 사이의 간격 수)+1

답 _____

❸ 도로 양쪽에 심은 나무는 모두 몇 그루?

답 _____

{ 수학 독해력 완성하기 }

🅖 연계학습 039쪽

😊 **나누어 주고 남는 양 구하기**

독해 문제 5

현지는 과자를 만들려고 한 조각에 40.5 g인 버터를 3조각 샀습니다. /
과자 한 개를 만드는 데 버터가 6 g 필요하다고 합니다. /
버터를 남김없이 모두 사용하여 과자를 만들려면 /
버터가 적어도 몇 g 더 필요한지 구해 보세요.

😀 **구하려는 것은?** 버터를 남김없이 모두 사용하여 과자를 만들기 위해 더 필요한 최소한의 버터의 양

😀 **주어진 것은?**
- 버터 한 조각의 양: ☐ g
- 산 버터의 조각 수: 3조각
- 과자 한 개를 만드는 데 필요한 버터의 양: ☐ g

😀 **어떻게 풀까?** 버터를 **남김없이 모두 사용**하여 과자를 만든다.
　　→ 과자를 만들고 나서 **남는 버터도 과자를 만드는 데** 사용한다.
　　　　→ 과자를 만들려면 **적어도 6 g이 되어야** 한다.

😀 **해결해 볼까?**

❶ 과자를 만들려고 산 버터는 모두 몇 g?

답 _____

❷ ❶에서 구한 버터로 만들 수 있는 과자 수와 남는 버터의 양은 각각 얼마?

전략 > 산 버터의 양을 과자 한 개를 만드는 데 필요한 버터의 양으로 나누어 구하자.

답 만들 수 있는 과자 수: _____

남는 버터의 양: _____

❸ 남는 버터도 모두 사용하여 과자를 만들려면 더 필요한 버터는 적어도 몇 g?

답 _____

기차가 완전히 지나는 데 걸리는 시간 구하기

연계학습 043쪽

독해 문제 6

길이가 4.15 km인 다리가 있습니다. /
길이가 130 m인 기차가 / 9분에 9.63 km를 가는 일정한 빠르기로 달려서 /
이 다리를 완전히 지나는 데 걸리는 시간은 몇 분인지 구해 보세요.

구하려는 것은? 다리를 완전히 지나는 데 걸리는 시간

주어진 것은?

다리 길이: ☐ km   기차 길이: 130 m

• 기차의 빠르기: ☐ 분 동안 9.63 km를 감.

어떻게 풀까?

1 주어진 다른 조건의 단위가 km이므로 기차 길이를 km 단위로 바꾸고,
2 기차가 다리를 완전히 지나는 데 달리는 거리를 구하고,
3 기차가 1분 동안 몇 km를 가는 빠르기로 달리는지 구한 다음,
4 기차가 다리를 완전히 지나는 데 걸리는 시간을 구하자.

해결해 볼까?

❶ 기차 길이인 130 m는 몇 km?

답 ＿＿＿＿＿＿＿＿＿＿

❷ 기차가 다리를 완전히 지나는 데 달리는 거리는 몇 km?

[전략] 다리 길이에 ❶에서 구한 길이를 더하자.

답 ＿＿＿＿＿＿＿＿＿＿

❸ 기차가 1분 동안 달리는 거리는 몇 km?

답 ＿＿＿＿＿＿＿＿＿＿

❹ 기차가 다리를 완전히 지나는 데 걸리는 시간은 몇 분?

[전략] 다리를 완전히 지나는 데 달리는 거리를 ❸에서 구한 거리로 나누자.

답 ＿＿＿＿＿＿＿＿＿＿

소수의 나눗셈

47

{ 창의·융합·코딩 체험하기 }

융합 ① 공전이란 천체가 다른 천체 주위를 도는 운동을 말합니다./
지구의 공전 주기는 약 1년이고,/ 금성의 공전 주기는 약 0.6년입니다./
지구의 공전 주기는 금성의 공전 주기의 약 몇 배인지/
반올림하여 소수 첫째 자리까지 나타내어 보세요.

(출처: Jut/shutterstock)

태양계 행성들은 모두 태양 주위를 돌아.

답 약 _____

창의 ② A 마트에서 파는 1 L짜리 샴푸는 18000원이고/
B 마트에서 파는 0.7 L짜리 샴푸는 14000원입니다./
같은 양의 샴푸를 산다면 어느 마트에서 더 싸게 살 수 있나요?

A 마트   B 마트

답 _____

3 사과와 배를 담아 과일 선물 세트를 만들어 판매하려고 합니다./
선물 세트 한 개에는 사과 2.3 kg과 배 4.5 kg이 들어갑니다./
다음 과일들로 선물 세트를 몇 개까지 만들 수 있나요?

사과 🍎	배 🍐
38 kg	70 kg

답

 4 로봇은 명령에 따라 움직이면서 아이템을 얻습니다./
아이템을 얻을 때마다 다음과 같이 포인트가 변한다고 합니다./
로봇이 다음의 명령을 실행하였을 때 로봇의 포인트는 얼마인지 구해 보세요./
(단, 시작할 때 로봇의 포인트는 10입니다.)

아이템	⚪	☠
포인트	+10	÷2.5

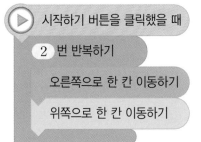

▶ 시작하기 버튼을 클릭했을 때
2 번 반복하기
　오른쪽으로 한 칸 이동하기
　위쪽으로 한 칸 이동하기

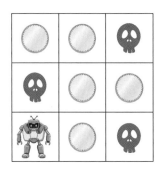

답

STEP 4 { 창의·융합·코딩 체험하기 }

[코딩 ⑤~⑥] 로봇 청소기는 다음과 같은 방향으로 움직이고,/
한 칸씩 움직일 때마다 전기를 4.8 *w만큼 사용합니다.

* w(와트): 전력의 단위

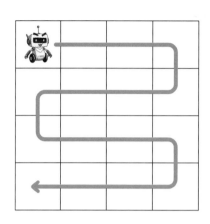

로봇 청소기에는 충전된 전기의 양이 ▢ 안에 나타납니다./
로봇 청소기가 전기를 다 쓸 때까지 움직였을 때,/ 로봇 청소기가 멈춘 칸에 색칠해 보세요.

코딩 ⑤

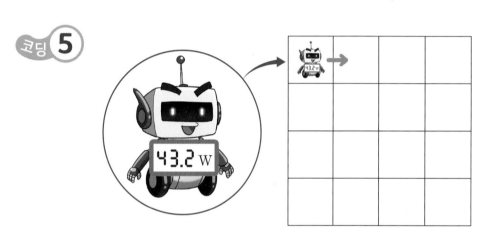

코딩 ⑥

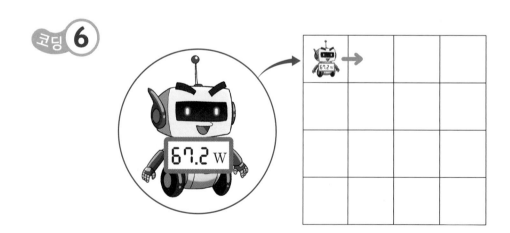

로봇을 이용하여 직사각형 모양의 밭 주변을 지키려고 합니다./
밭의 가로 길이는 30 m, 세로 길이는 25.2 m입니다./
로봇이 1분에 9.2 m를 가는 빠르기로/
밭의 둘레를 따라 한 바퀴 도는 데 걸리는 시간은 몇 분인가요?

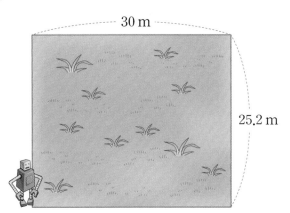

답 _____

 체질량지수(BMI)는 키와 몸무게를 이용하여 비만 정도를 측정하는 계산법입니다./
윤우의 체질량지수를 구하여/ 결과가 어느 범위에 속하는지 알아보세요.

$$(체질량지수) = (몸무게) \div ((키) \times (키))$$
몸무게 단위: kg, 키 단위: m

비만 진단 기준표

체질량지수	18.5 미만	18.5 이상 23 미만	23 이상 25 미만	25 이상
비만 진단	저체중	정상	과체중	비만

내 키는 1.4 m이고
몸무게는 39.2 kg이니까 체질량지수는
$39.2 \div (1.4 \times 1.4) = 20$으로 정상이야.

은서

내 키는 1.5 m이고
몸무게는 54 kg이야.

윤우

답 _____

몇 배인지 구하기 044쪽

1 테니스 공의 무게는 56.7 g이고 탁구공의 무게는 2.7 g입니다. 테니스 공의 무게는 탁구공 무게의 몇 배인가요?

테니스 공: 56.7 g　　탁구공: 2.7 g

풀이

답 _____

나누어 주고 남는 양 구하기 033쪽

2 고구마 17.3 kg을 상자 한 개에 2 kg씩 나누어 담으려고 합니다. 나누어 담을 수 있는 상자 수와 남는 고구마의 양을 각각 구해 보세요.

풀이

답 나누어 담을 수 있는 상자 수: _____

남는 고구마의 양: _____

단위량을 구하여 문제 해결하기 038쪽

3 연료 0.85 L를 넣으면 12.75 km를 가는 자동차가 있습니다. 이 자동차에 연료 20 L를 넣으면 몇 km를 갈 수 있는지 구해 보세요.

풀이

답 _____

어떤 수를 구하여 문제 해결하기 040쪽

4 어떤 수를 1.4로 나누어야 할 것을 잘못하여 곱했더니 17.64가 되었습니다. 바르게 계산한 값을 구해 보세요.

풀이▶

답 _____

심은 나무의 수 구하기 045쪽

5 길이가 108 m인 도로 한쪽에 처음부터 끝까지 4.5 m 간격으로 나무를 심었습니다. 심은 나무는 모두 몇 그루인가요? (단, 나무의 두께는 생각하지 않습니다.)

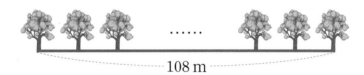

풀이▶

답 _____

시간 단위를 바꾸어 문제 해결하기 041쪽

6 수도에서 8.2분 동안 24.6 L의 물이 일정하게 나왔습니다. 이 수도에서 5분 42초 동안 나온 물의 양은 몇 L인가요?

풀이▶

답 _____

수 카드로 나눗셈식 만들기 044쪽

7 수 카드 3 , 8 , 4 , 2 를 □ 안에 한 번씩만 써넣어 몫이 가장 작은 나눗셈식을 만들고 계산해 보세요.

$$\boxed{}\boxed{}.\boxed{}\div 1.\boxed{}$$

풀이

식 $\boxed{}\boxed{}.\boxed{}\div 1.\boxed{}$ **답**

기호의 규칙에 따라 계산하기 045쪽

8 가 ★ 나＝가÷0.7＋나일 때 다음을 계산해 보세요.

$$(11.2 ★ 1.5) ★ 8$$

풀이

답

몫의 소수점 아래 숫자들의 규칙 찾기 042쪽

9 나눗셈의 몫을 반올림하여 소수 30째 자리까지 나타내었을 때 소수 30째 자리 숫자를 구해 보세요.

$$4.3 \div 0.6$$

풀이

답

기차가 완전히 지나는 데 걸리는 시간 구하기 043쪽

10 길이가 8.84 km인 터널이 있습니다. 길이가 160 m인 기차가 1분에 1.8 km를 가는 빠르기로 달려서 이 터널을 완전히 지나는 데 걸리는 시간은 몇 분인가요?

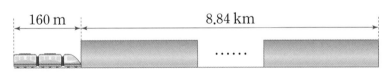

풀이

답

3 공간과 입체

쌓기나무로 쌓은 모양과 위에서 본 모양을 보고 앞, 옆에서 본 모양을 그려 보자. ✏️

위 에서 본 모양 ➡ <u>뒤에 숨겨진 쌓기나무</u> 가 있는지 알 수 있어.

앞 , 옆 에서 본 모양 ➡ <u>각 방향에서 각 줄의 가장 높은 층</u> 만큼 그려.

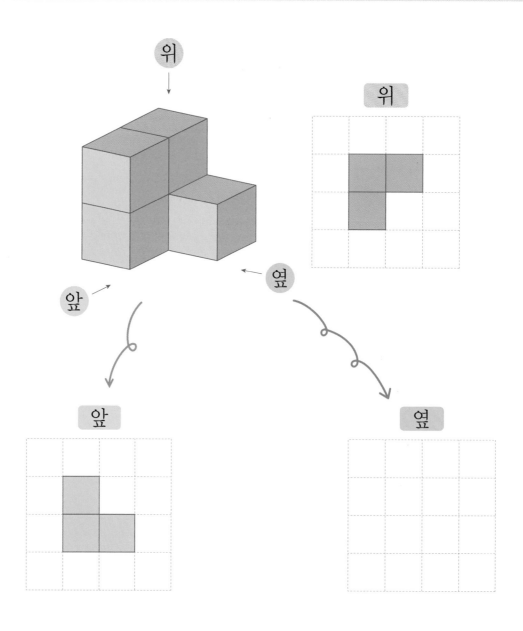

정답 확인 ≫

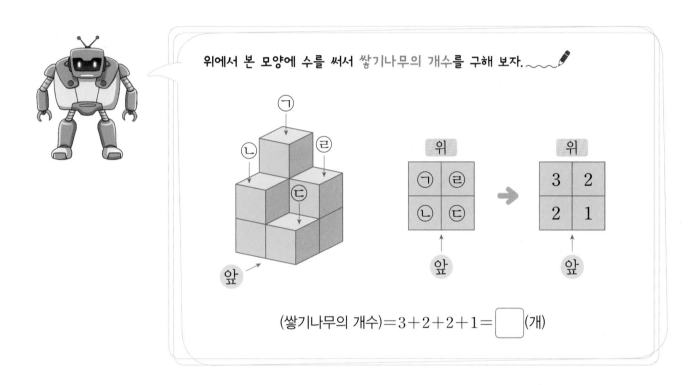

위에서 본 모양에 수를 써서 쌓기나무의 개수를 구해 보자.

위

ㄱ	ㄹ
ㄴ	ㄷ

앞

위

3	2
2	1

앞

(쌓기나무의 개수)=3+2+2+1=☐(개)

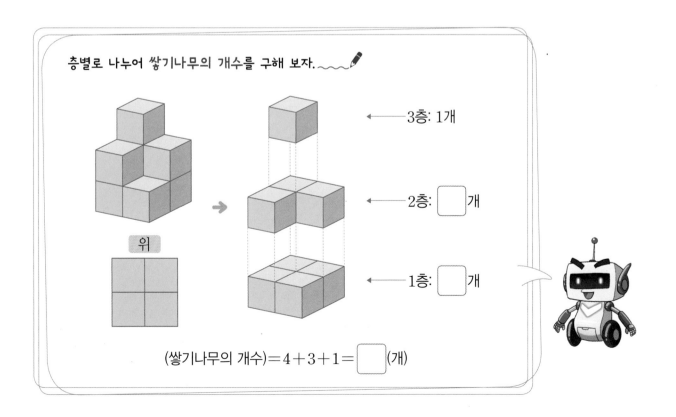

층별로 나누어 쌓기나무의 개수를 구해 보자.

위

3층: 1개

2층: ☐개

1층: ☐개

(쌓기나무의 개수)=4+3+1=☐(개)

STEP 1 { 문제 해결력 기르기 }

① □층에 쌓은 쌓기나무의 개수 구하기

선행 문제 해결 전략

예 오른쪽과 같이 위에서 본 모양에 수를 쓴 것을 보고 각 층에 있는 쌓기나무의 개수 구하기

위
3	2	1
2	1	
1		

1층
3	**2**	**1**
2	**1**	
1		

1층에 있는 쌓기나무의 개수 : **1 이상인 수**가 쓰여 있는 자리의 수와 같다. ➡ **6개**

2층
3	2	1
2	1	
1		

2층에 있는 쌓기나무의 개수 : **2 이상인 수**가 쓰여 있는 자리의 수와 같다. ➡ **3개**

3층
3	2	1
2	1	
1		

3층에 있는 쌓기나무의 개수 : **3 이상인 수**가 쓰여 있는 자리의 수와 같다. ➡ **1개**

선행 문제 ①

쌓기나무로 쌓은 모양을 보고 위에서 본 모양에 수를 썼습니다. 물음에 답하세요.

(1) 2층에 있는 쌓기나무는 몇 개인가요?

풀이 2 이상인 수가 쓰여 있는 자리의 수와 같다. ➡ ☐개

(2) 3층에 있는 쌓기나무는 몇 개인가요?

풀이 3 이상인 수가 쓰여 있는 자리의 수와 같다. ➡ ☐개

실행 문제 ①

오른쪽은 쌓기나무로 쌓은 모양을 보고/ 위에서 본 모양에 수를 쓴 것입니다./ 1층과 2층에 있는 쌓기나무는 모두 몇 개인가요?

위
	1	
1	2	2
	3	

전략 1 이상인 수가 쓰여 있는 자리의 수를 세자.

❶ (1층에 있는 쌓기나무의 개수)=☐개

전략 2 이상인 수가 쓰여 있는 자리의 수를 세자.

❷ (2층에 있는 쌓기나무의 개수)=☐개

❸ (1층과 2층에 있는 쌓기나무의 개수의 합)
=☐+☐=☐(개)

답 _____

쌍둥이 문제 1-1

오른쪽은 쌓기나무로 쌓은 모양을 보고/ 위에서 본 모양에 수를 쓴 것입니다./ 2층과 3층에 있는 쌓기나무는 모두 몇 개인가요?

실행 문제 따라 풀기

❶

❷

❸

답 _____

② 빼낸(더 쌓는) 쌓기나무의 개수 구하기

선행 문제 해결 전략

• 쌓기나무로 쌓은 모양과 위에서 본 모양을 보고 쌓기나무의 개수 구하기

각 자리에 쌓은 쌓기나무의 개수를 센 후 모두 더해서 구해.

 예

각 자리에 쌓은 쌓기나무의 개수를 써 보자.

위에서 본 모양

➡ **(쌓기나무의 개수)**
＝1＋2＋1＋2＝6(개)

선행 문제 ②

쌓기나무로 쌓은 모양과 위에서 본 모양입니다. 사용한 쌓기나무는 모두 몇 개인가요?

위에서 본 모양

풀이 위에서 본 모양의 각 자리에 쌓은 쌓기나무의 개수를 쓴다.

➡ (쌓기나무의 개수)
$=3+2+\boxed{}+\boxed{}=\boxed{}$(개)

실행 문제 ②

왼쪽 정육면체 모양에서 쌓기나무 몇 개를 빼냈더니／오른쪽과 같은 모양이 되었습니다.／
빼낸 쌓기나무는 몇 개인가요?

 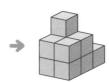 

위에서 본 모양

전략 정육면체 모양에는 쌓기나무가 가로, 세로, 높이에 각각 3개씩 있다.

❶ (정육면체 모양의 쌓기나무의 개수)
$=3\times3\times\boxed{}=\boxed{}$(개)

전략 위에서 본 모양의 각 자리에 수를 써서 구하자.

❷ (빼내고 남은 모양의 쌓기나무의 개수)
$=\boxed{}$개

전략 (❶에서 구한 개수)−(❷에서 구한 개수)

❸ (빼낸 쌓기나무의 개수)
$=\boxed{}-\boxed{}=\boxed{}$(개)

답 _____

쌍둥이 문제 2-1

왼쪽 정육면체 모양에서 쌓기나무 몇 개를 빼냈더니／오른쪽과 같은 모양이 되었습니다.／
빼낸 쌓기나무는 몇 개인가요?

위에서 본 모양

실행 문제 따라 풀기

❶

❷

❸

답 _____

③ 위, 앞, 옆에서 본 모양을 보고 쌓기나무의 개수 구하기

해결 전략

• 위, 앞, 옆에서 본 모양을 보고 위에서 본 모양의 각 자리에 쌓은 쌓기나무의 개수 쓰기

예   위   앞   옆

① 앞, 옆에서 **줄별로 보이는 층수** 표시하기

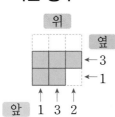

② **앞**에서 보이는 층수를 이용하여 수 쓰기

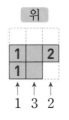

③ **옆**에서 보이는 층수를 이용하여 수 쓰기

실행 문제 ③

쌓기나무로 쌓은 모양을
위, 앞, 옆에서 본 모양입니다./
똑같은 모양으로 쌓는 데 필요한 쌓기나무는 몇 개
인가요?

위   앞   옆

전략 > 앞, 옆에서 보이는 층수를 이용하자.

❶ 위에서 본 모양에 수를 써서 나타내기:

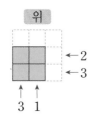

전략 > ❶에서 각 자리에 쓴 수를 모두 더하자.

❷ (필요한 쌓기나무의 개수)=☐개

답 _____

쌍둥이 문제 ③-1

쌓기나무로 쌓은 모양을
위, 앞, 옆에서 본 모양입니다./
똑같은 모양으로 쌓는 데 필요한 쌓기나무는 몇 개
인가요?

위   앞   옆

실행 문제 따라 풀기

❶ 위에서 본 모양에 수를 써서 나타내기:

❷

답 _____

④ 층별로 나타낸 모양을 보고 문제 해결하기

선행 문제 해결 전략

• 층별로 나타낸 모양을 보고 위에서 본 모양의 각 자리에 쌓은 쌓기나무의 개수 쓰기

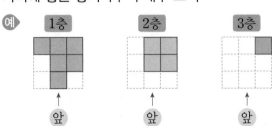

높은 층부터 각 층의 모양에 맞는 자리에 층수를 순서대로 써넣자.

3층 자리에 수 쓰기   2층 자리에 수 쓰기   1층 자리에 수 쓰기

↳ 위에서 본 모양은 1층 모양과 같다.

선행 문제 ④

쌓기나무로 쌓은 모양을 층별로 나타낸 모양입니다. 위에서 본 모양에 수를 쓰는 방법으로 나타내어 보세요.

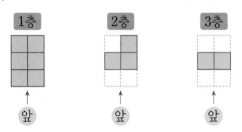

풀이 ▶ 위에서 본 모양은 ☐층 모양과 같다.
3층, 2층, 1층의 순서로 각 자리에 층수를 써넣는다.

실행 문제 ④

쌓기나무로 쌓은 모양을 층별로 나타낸 모양입니다. / 위에서 본 모양에 수를 쓰는 방법으로 나타내어 / 쌓은 쌓기나무가 몇 개인지 구해 보세요.

전략 ▶ 위에서 본 모양은 1층 모양과 같다.

❶ 위에서 본 모양을 그리고 각 자리에 수를 써서 나타내기:

전략 ▶ ❶에서 각 자리에 쓴 수를 모두 더하자.

❷ (쌓은 쌓기나무의 개수)=☐개

답 ＿＿＿＿＿＿＿＿

쌍둥이 문제 ④-1

쌓기나무로 쌓은 모양을 층별로 나타낸 모양입니다. / 위에서 본 모양에 수를 쓰는 방법으로 나타내어 / 쌓은 쌓기나무가 몇 개인지 구해 보세요.

실행 문제 따라 풀기

❶ 위에서 본 모양을 그리고 각 자리에 수를 써서 나타내기:

❷

답 ＿＿＿＿＿＿＿＿

{ 문제 **해결력** 기르기 }

⑤ 보이지 않는 곳에 쌓은 쌓기나무의 개수 구하기

선행 문제 해결 전략

예 쌓기나무 11개로 쌓은 모양과 위에서 본 모양에 수를 쓴 것을 보고 보이지 않는 곳에 쌓은 쌓기나무의 개수 구하기

> (보이지 않는 개수)
> =(전체 개수)−(보이는 개수)

위에서 본 모양

(전체 쌓기나무의 개수)=11개
(보이는 쌓기나무의 개수)=3+3+3=9(개)
➡ (보이지 않는 곳에 쌓은 쌓기나무의 개수)
　=11−9=2(개)

선행 문제 ⑤

쌓기나무 10개로 쌓은 모양과 위에서 본 모양에 수를 쓴 것입니다. 보이지 않는 곳에 쌓은 쌓기나무는 몇 개인가요?

위에서 본 모양

풀이 (전체 쌓기나무의 개수)=10개
(보이는 쌓기나무의 개수)
=3+3+2+□=□(개)

➡ (보이지 않는 곳에 쌓은 쌓기나무의 개수)
=10−□=□(개)

실행 문제 ⑤

쌓기나무 12개로 쌓은 모양과/
위에서 본 모양입니다./
㉠에 쌓은 쌓기나무는 몇 개인가요?

위에서 본 모양

❶ 위에서 본 모양의 각 자리에 수 쓰기

전략 위에서 본 모양의 각 자리에 쓴 수를 모두 더하자.

❷ (㉠을 뺀 나머지 자리에 쌓은 쌓기나무의 개수)
　=□개

전략 (전체 쌓기나무의 개수)−❷에서 구한 개수

❸ (㉠에 쌓은 쌓기나무의 개수)
　=12−□=□(개)

답

쌍둥이 문제 5-1

쌓기나무 10개로 쌓은 모양과/
위에서 본 모양입니다./
㉠에 쌓은 쌓기나무는 몇 개인가요?

위에서 본 모양

실행 문제 따라 풀기

❶ 위에서 본 모양의 각 자리에 수 쓰기

❷

❸

답

⑥ 조건을 만족하는 쌓기나무의 모양 구하기

예 쌓기나무 6개를 사용하여 위에서 본 모양이 다음과 같은 2층짜리 모양 만들기

① 위에서 본 모양의 **각 자리에 쌓기나무를 1개씩** 쌓아 1층을 쌓는다.
(1층에 쌓은 쌓기나무의 개수)＝4개

② 2층까지 쌓으려면 **1층에 쌓고 남는 쌓기나무를 2층에 쌓아야 한다.**
(2층까지 쌓을 자리의 수)＝(1층에 쌓고 남는 쌓기나무의 개수)
＝6－4＝2(개)

③ 조건에 맞는 모양 ➡

위	위	위	위	위	위
2 2 1 1	2 1 2 1	2 1 1 2	1 2 2 1	1 2 1 2	1 1 2 2

3

공간과 입체

실행 문제 6

〔조건〕을 만족하는 모양은／ 모두 몇 가지인가요?

〔조건〕
• 쌓기나무 5개로 쌓은 모양입니다.
• 2층짜리 모양입니다.
• 위에서 본 모양은 입니다.

❶ (1층에 쌓은 쌓기나무의 개수)＝□개

전략 (전체 쌓기나무의 개수)－(❶에서 구한 개수)

❷ (2층까지 쌓을 자리의 수)
＝5－□＝□(개)

❸ 위에서 본 모양에 수를 써서 〔조건〕을 만족하는 모양을 모두 나타내고 가짓수 구하기:

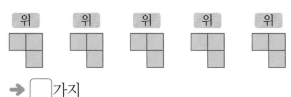

➡ □가지

답 _____

쌍둥이 문제 6-1

〔조건〕을 만족하는 모양은／ 모두 몇 가지인가요?

〔조건〕
• 쌓기나무 5개로 쌓은 모양입니다.
• 2층짜리 모양입니다.
• 위에서 본 모양은 입니다.

실행 문제 따라 풀기

❶

❷

❸ 위에서 본 모양에 수를 써서 〔조건〕을 만족하는 모양을 모두 나타내고 가짓수 구하기:

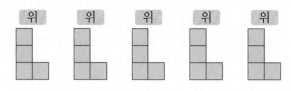

답 _____

수학 사고력 키우기

□층에 쌓은 쌓기나무의 개수 구하기

연계학습 058쪽

대표 문제 ①

오른쪽은 쌓기나무로 쌓은 모양을 보고/
위에서 본 모양에 수를 쓴 것입니다./
3층 이상에 있는 쌓기나무의 개수를 구해 보세요.

위

	3	1
5	3	2	1
	4	1	

구하려는 것은?

□층 이상에 있는 쌓기나무의 개수

어떻게 풀까?

1 3층 이상의 층수를 알고 각 층에 있는 쌓기나무의 개수를 각각 구한 다음,
2 1에서 구한 개수를 모두 더하자.

해결해 볼까?

❶ 쌓은 모양에서 3층 이상인 층수를 모두 써 보면?

전략 ▷ [5][3][2][1] / [3][1] / [4] ➡ 가장 큰 수가 5이므로 5층까지 쌓았다.   답 _____

❷ 3층, 4층, 5층에 있는 쌓기나무는 각각 몇 개?

답 3층: _____ , 4층: _____ , 5층: _____

❸ 3층 이상에 있는 쌓기나무는 모두 몇 개?

답 _____

쌍둥이 문제 1-1

오른쪽은 쌓기나무로 쌓은 모양을 보고/
위에서 본 모양에 수를 쓴 것입니다./
2층 이상에 있는 쌓기나무는 모두 몇 개인가요?

위

|4|2|3|
|3|1|2|
|2| |1|

대표 문제 따라 풀기

❶

❷

❸

답 _____

😊 빼낸(더 쌓는) 쌓기나무의 개수 구하기

🔵 연계학습 059쪽

대표 문제 ②

오른쪽은 쌓기나무로 쌓은 모양과 위에서 본 모양입니다. /
쌓기나무를 더 쌓아서 /
가장 작은 정육면체 모양을 만들려고 합니다. /
더 필요한 쌓기나무의 개수를 구해 보세요.

위에서 본 모양

😊 **어떻게 풀까?**

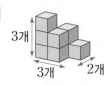
3개
3개   2개

가장 작은 정육면체 모양을 만들려면 한 모서리에 쌓은 모양 가장 긴 쪽의 쌓기나무 개수만큼씩 쌓아야 한다.

😊 **해결해 볼까?**

❶ 가장 작은 정육면체 모양을 만드는 데 필요한 쌓기나무는 몇 개?

전략〉 가장 긴 쪽의 쌓기나무가 3개이므로
한 모서리에 쌓기나무를 3개씩 쌓아야 한다.

답 _____

❷ 주어진 모양을 만드는 데 사용한 쌓기나무는 몇 개?

답 _____

❸ 더 필요한 쌓기나무는 몇 개?

전략〉 ❶에서 구한 개수에서 ❷에서 구한 개수를 빼자.

답 _____

쌍둥이 문제
2-1

오른쪽은 쌓기나무로 쌓은 모양과 위에서 본 모양입니다. /
쌓기나무를 더 쌓아서 /
가장 작은 정육면체 모양을 만들려고 합니다. /
더 필요한 쌓기나무는 몇 개인가요?

위에서 본 모양

😊 **대표 문제 따라 풀기**

❶

❷

❸

답 _____

위, 앞, 옆에서 본 모양을 보고 쌓기나무의 개수 구하기

연계학습 060쪽

대표 문제 ③

쌓기나무로 쌓은 모양을 위, 앞, 옆에서 본 모양입니다. /
쌓은 쌓기나무가 가장 많은 경우의 쌓기나무의 개수를 구해 보세요.

위   앞   옆

어떻게 풀까?

• 쌓을 수 있는 모양이 여러 가지 경우일 때 쌓기나무의 개수 구하기

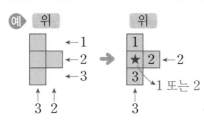

★이 있는 줄을 **앞에서만 보면** ★에 쌓기나무를 **3개까지** 쌓을 수 있지만 **옆에서 보았을 때는** 가장 높은 층수가 **2층이 되어야 하므로** ★에는 쌓기나무를 **2개까지** 쌓을 수 있다.

해결해 볼까?

❶ 위에서 본 모양에서 ★을 뺀 나머지 자리에 수를 써서 나타내면?

답 위

❷ 쌓은 쌓기나무가 가장 많은 경우의 쌓기나무는 몇 개?

전략 ★에 가장 많이 쌓을 수 있는 경우를 찾아 구하자.

답

3 공간과 입체

쌍둥이 문제 3-1

쌓기나무로 쌓은 모양을 위, 앞, 옆에서 본 모양입니다. /
쌓은 쌓기나무가 가장 많은 경우의 쌓기나무의 개수를 구해 보세요.

위   앞   옆

대표 문제 따라 풀기

❶ 위에서 본 모양에서 ●를 뺀 나머지 자리에 수를 써서 나타내기:

위

❷

답

😊 층별로 나타낸 모양을 보고 문제 해결하기

ⓒ 연계학습 061쪽

대표 문제 4

오른쪽은 쌓기나무로 쌓은 모양을 층별로 나타낸 모양입니다. / 앞, 옆에서 본 모양을 각각 그려 보세요.

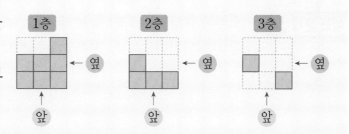

어떻게 풀까?

- 위에서 본 모양의 각 자리에 쌓은 쌓기나무의 개수 쓰는 방법

  1 3층 모양에 맞는 자리에 3을 쓴다.

  2 2층 모양에 맞는 자리에서 3을 쓴 자리를 뺀 나머지 자리에 2를 쓴다.

  3 남은 자리에 1을 쓴다.

해결해 볼까?

❶ 위에서 본 모양을 그리고 각 자리에 수를 써서 나타내면?

전략 〉 위에서 본 모양은 1층 모양과 같다.

답
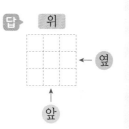

❷ ❶에서 구한 답을 보고 앞, 옆에서 본 모양을 각각 그리면?

전략 〉 앞, 옆에서 보았을 때 각 줄의 가장 높은 층만큼씩 그리자.

답
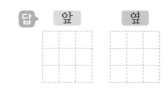

쌍둥이 문제 4-1

오른쪽은 쌓기나무로 쌓은 모양을 층별로 나타낸 모양입니다. / 앞, 옆에서 본 모양을 각각 그려 보세요.

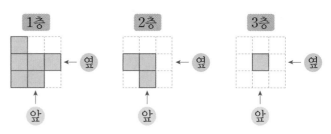

대표 문제 따라 풀기

❶ 위에서 본 모양을 그리고 각 자리에 수를 써서 나타내기:

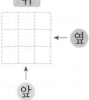

❷ 앞, 옆에서 본 모양 그리기: **답**

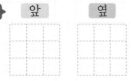

{ 수학 사고력 키우기 }

🐻 보이지 않는 곳에 쌓은 쌓기나무의 개수 구하기

ⓒ 연계학습 062쪽

대표 문제 5 오른쪽 모양과 똑같이 쌓는 데 /
필요한 쌓기나무의 개수를 구해 보세요.

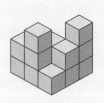

위에서 본 모양

😊 **구하려는 것은?** 똑같은 모양으로 쌓는 데 필요한 쌓기나무의 개수

🐻 **어떻게 풀까?** 가려져서 보이지 않는 자리에 쌓은 쌓기나무의 개수 는 바로 앞쪽에 쌓은 쌓기나무의 개수보다 더 적다.

예

위에서 본 모양

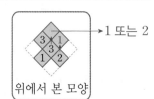

→ 1 또는 2

🐻 **해결해 볼까?**

❶ 위에서 본 모양에 수를 써서 나타내면?

전략 가려져서 보이지 않는 자리에 쌓은 쌓기나무의 개수도 구하자.

답

❷ 주어진 모양과 똑같이 쌓는 데 필요한 쌓기나무는 몇 개?

답 _____

쌍둥이 문제 5-1 오른쪽 모양과 똑같이 쌓는 데 /
필요한 쌓기나무는 몇 개인지 구해 보세요.

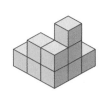

위에서 본 모양

😊 **대표 문제 따라 풀기**

❶ 위에서 본 모양의 각 자리에 수 쓰기

❷

답 _____

조건을 만족하는 쌓기나무의 모양 구하기

연계학습 063쪽

대표 문제 6

오른쪽 [조건]을 만족하는 모양은/
모두 몇 가지인지 구해 보세요./
(단, 돌려서 모양이 같으면 같은 모양입니다.)

[조건]
- 쌓기나무 8개로 쌓은 모양입니다.
- 3층짜리 모양입니다.
- 위에서 본 모양은 입니다.

어떻게 풀까?

❷ 1층에 쌓고 남는 쌓기나무가 2개일 때
남는 **2개**를 같은 자리에 쌓아야 **3층**이 된다.

1층   남는 쌓기나무   3층

해결해 볼까?

❶ 1층에 쌓은 쌓기나무는 몇 개?

답 _____

❷ 3층까지 쌓을 자리는 몇 개?

전략 〉 1층에 쌓고 남는 쌓기나무를 어떻게 쌓아야 3층이 되는지
생각해 보자.

답 _____

❸ 위에서 본 모양에 수를 써서 [조건]을 만족하는 모양을 모두 나타내고 가짓수를 구하면?

전략 〉 돌렸을 때 같은 모양은 한 가지만 그리자.

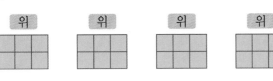

답 _____

쌍둥이 문제 6-1

오른쪽 [조건]을 만족하는 모양은/
모두 몇 가지인가요?/
(단, 돌려서 모양이 같으면 같은 모양입니다.)

[조건]
- 쌓기나무 6개로 쌓은 모양입니다.
- 2층짜리 모양입니다.
- 위에서 본 모양은 입니다.

대표 문제 따라 풀기

❶

❷

❸ 위에서 본 모양에 수를 써서 [조건]을 만족하는 모양을 모두 나타내고 가짓수 구하기:

위   위   위   위

답 _____

{ 수학 독해력 완성하기 }

🙂 만들 수 있는 모양의 수 구하기

독해 문제 1

쌓기나무 45개를 모두 사용하여/
오른쪽과 똑같은 모양을/ 여러 개 만들려고 합니다./
만들 수 있는 모양은 모두 몇 개인지 구해 보세요.

위에서 본 모양

해결해 볼까? ❶ 주어진 모양 1개를 만드는 데 필요한 쌓기나무는 몇 개?

답 _____

❷ 쌓기나무 45개를 모두 사용하여 만들 수 있는 모양은 몇 개?

답 _____

🙂 위, 앞에서 본 모양을 보고 옆에서 본 모양 그리기

독해 문제 2

오른쪽은 쌓기나무로 쌓은 모양을
위, 앞에서 본 모양입니다./
옆에서 본 모양을 그려 보세요.

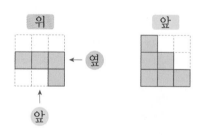

해결해 볼까? ❶ 위에서 본 모양에 수를 써서 나타내면?

전략▷ 앞에서 본 모양의 층수를 이용하여 수를 쓰자.

답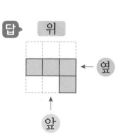

❷ ❶에서 수를 쓴 것을 보고 옆에서 본 모양을 그리면?

답 옆

앞에서 본 모양의 넓이 구하기

독해 문제
3

오른쪽은 한 면의 넓이가 4 cm²인/
정육면체 모양의 쌓기나무 11개로 쌓은 모양입니다./
파란색 쌓기나무 3개를 뺐을 때/
앞에서 본 모양의 넓이를 구해 보세요.

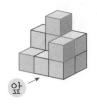

앞↗

😊 해결해 볼까?   ❶ 파란색 쌓기나무 3개를 뺐을 때 앞에서 본 모양을 그리면?

답   앞

전략〉 파란색 쌓기나무를 빼낸 후 각 줄에서
가장 높은 층을 생각하여 그리자.

❷ ❶에서 그린 모양의 넓이는 몇 cm²?

전략〉 (쌓기나무의 한 면의 넓이)×(❶에서 그린 모양의 면의 수) 답 _____

3

공간과 입체

71

규칙에 따라 쌓은 쌓기나무의 개수 구하기

독해 문제
4

오른쪽 그림과 같이 규칙에 따라 쌓기나무를 쌓았습니다./
1층에 쌓은 쌓기나무의 개수를 구해 보세요./
(단, 보이지 않는 쌓기나무는 없습니다.)

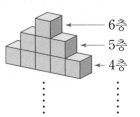

←6층
←5층
←4층

😊 해결해 볼까?   ❶ 6층, 5층, 4층에 쌓은 쌓기나무는 각각 몇 개?

답 6층 : _____ , 5층 : _____ , 4층 : _____

❷ 쌓기나무를 쌓은 규칙은?

한 층씩 아래로 내려갈수록 쌓은 쌓기나무가 ☐개씩 늘어납니다.

❸ 1층에 쌓은 쌓기나무는 몇 개?

답 _____

{ 수학 독해력 완성하기 }

위, 앞, 옆에서 본 모양을 보고 쌓기나무의 개수 구하기

연계학습 066쪽

독해 문제 5

오른쪽은 쌓기나무로 쌓은 모양을/
위, 앞, 옆에서 본 모양입니다./
쌓은 쌓기나무가 가장 많은 경우와/
가장 적은 경우의 개수의 차를 구해 보세요./
(단, 쌓기나무를 면끼리 맞닿게 쌓습니다.)

구하려는 것은? 쌓은 쌓기나무가 가장 많은 경우와 가장 적은 경우의 개수의 차

어떻게 풀까?

1 앞, 옆에서 본 모양을 보고 위에서 본 모양의 각 자리에 알 수 있는 쌓기나무의 개수부터 수를 쓴 다음,

2 남은 자리에 쌓기나무를 가장 많이 쌓는 경우와 가장 적게 쌓는 경우를 구하자.

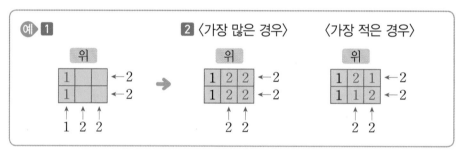

해결해 볼까?

❶ 쌓은 쌓기나무가 가장 많은 경우의 개수를 위에서 본 모양에 수를 써서 구하면?

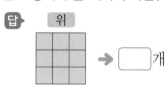

❷ 쌓은 쌓기나무가 가장 적은 경우의 개수를 위에서 본 모양에 수를 써서 구하면?

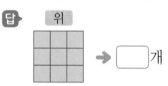

❸ 쌓은 쌓기나무가 가장 많은 경우와 가장 적은 경우의 개수의 차는 몇 개?

답

조건을 만족하는 쌓기나무의 모양 구하기

ⓒ 연계학습 069쪽

독해 문제
6

[조건]을 만족하는 모양을 위에서 본 모양에 수를 쓰는 방법으로 나타내어 보세요. /
(단, 돌려서 모양이 같으면 같은 모양입니다.)

┌─[조건]─────────────────────────┐
① 쌓기나무 7개로 쌓은 모양입니다.
② 3층짜리 모양입니다.
③ 위에서 본 모양은 오른쪽과 같습니다.
④ 앞에서 본 모양과 옆에서 본 모양이 서로 같습니다.
└────────────────────────────┘

😊 **구하려는 것은?** [조건]을 만족하는 모양

😊 **어떻게 풀까?**
1 위에서 본 모양의 각 자리에 쌓기나무를 1개씩 쌓아 1층을 쌓고,
2 쌓기나무 7개 중에서 1층에 쌓고 남는 쌓기나무를 더 쌓아 만들 수 있는 3층짜리 모양을 모두 찾은 다음,
3 **2**에서 찾은 모양 중에서 앞에서 본 모양과 옆에서 본 모양이 서로 같은 모양을 찾자.

😊 **해결해 볼까?**

❶ 1층에 쌓은 쌓기나무는 몇 개?

답 _____

❷ 3층까지 쌓을 자리는 몇 개?

답 _____

❸ 위에서 본 모양에 수를 써서 [조건] ①, ②, ③을 만족하는 모양을 모두 나타내기

[전략] 돌렸을 때 같은 모양은 한 가지만 그리자.

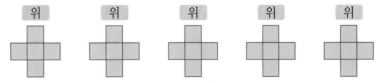

❹ ❸에서 찾은 모양 중에서 [조건] ④를 만족하는 모양 찾기

[전략] ❸에서 찾은 모양 중에서 앞에서 본 모양과 옆에서 본 모양이 서로 같은 모양을 찾자.

답

3

공간과 입체

창의 1 창고에 배달하고 남은 정육면체 모양의 택배 상자가 쌓여 있습니다./
창고에 쌓여 있는 택배 상자는 모두 몇 개인가요?

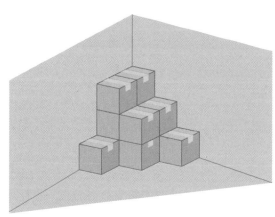

답 _____

융합 2 그림자 놀이는/물건을 불빛으로 흰 막 위에 비추어/그림자가 나타나게 하는 놀이입니다./
정육면체 모양의 상자 10개로 쌓은 모양을/그림과 같은 방향에서 불빛을 비추었을 때 나타나는/
그림자의 모습을 찾아 기호를 써 보세요.

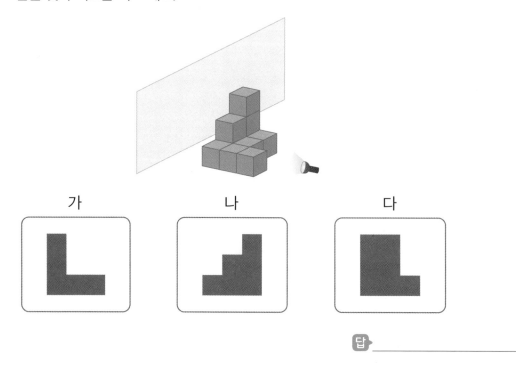

답 _____

3 로봇이 다음 명령에 따라 움직이면서/도착할 때까지 놓여 있는 쌓기나무를 모두 모았습니다./
물음에 답하세요.

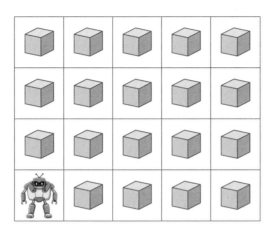

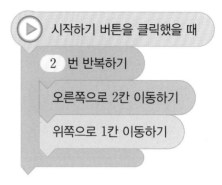

(1) 명령에 따라 로봇이 모은 쌓기나무는 모두 몇 개인가요?

답 _____

(2) 로봇이 모은 쌓기나무를 모두 사용하여 만들 수 있는 모양을 찾아 기호를 써 보세요.

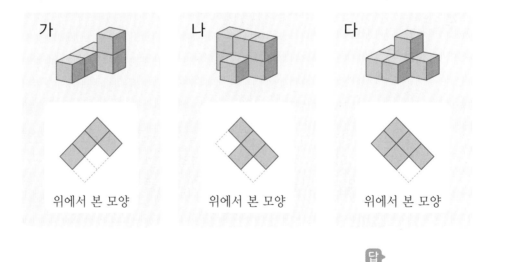

가   나   다

위에서 본 모양   위에서 본 모양   위에서 본 모양

답 _____

가, 나, 다를 쌓는 데 필요한
쌓기나무의 개수를 각각 구해 봐.

창의 **4** [보기]는 쌓기나무로 쌓은 모양을 보고/
위에서 본 모양의 각 자리에 쌓은 쌓기나무의 개수를 그림으로 나타낸 것입니다./

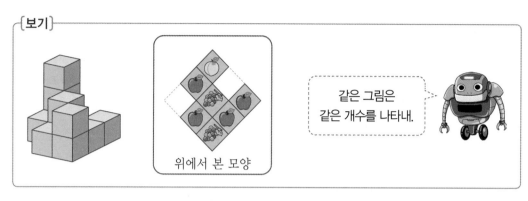

다음은 [보기]에서 나타낸 방법으로 위에서 본 모양을 그린 것입니다./
똑같은 모양으로 쌓는 데 필요한 쌓기나무는 몇 개인가요?

위에서 본 모양

답

창의 **5** 유정, 민호, 희철이는 각자 정육면체 모양의 블록 6개를 붙여서 모양을 만들었습니다./
만든 모양을 구멍이 있는 상자에 넣어 정리하려고 합니다./
상자에 넣을 수 없는 모양을 만든 사람을 찾아 이름을 써 보세요.

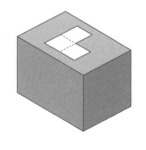

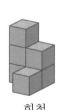

유정   민호   희철

답

 다음은 로봇을 여러 방향에서 본 모습입니다.

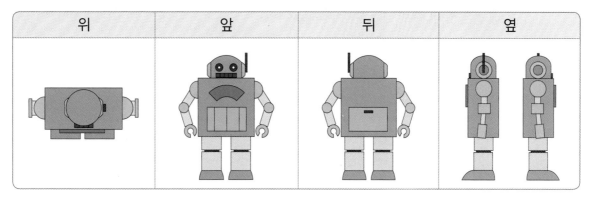

위	앞	뒤	옆

아래와 같이 로봇의 주위를 시계 방향으로 돌면서 사진을 찍는 드론이 있습니다.
드론이 로봇 주위를 한 바퀴 도는 데 1분이 걸린다고 합니다.

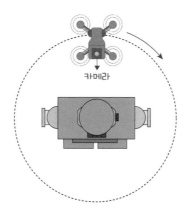

카메라

드론이 10시에 찍은 로봇의 사진이 오른쪽과 같을 때
10시 45초에 찍은 로봇의 사진을 찾아 기호를 써 보세요.
(단, 드론이 움직이는 빠르기는 일정합니다.)

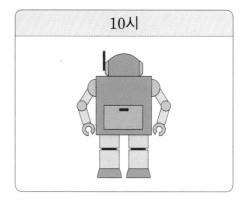

10시

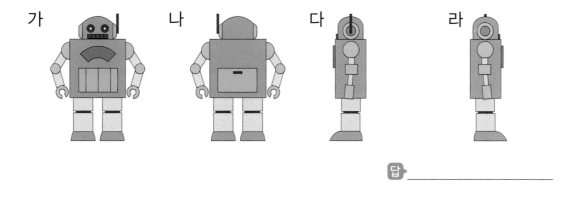

가　나　다　라

답 _____

□층에 쌓은 쌓기나무의 개수 구하기 058쪽

1 오른쪽은 쌓기나무로 쌓은 모양을 보고 위에서 본 모양에 수를 쓴 것입니다. 2층에 있는 쌓기나무는 모두 몇 개인가요?

위

4	3	1
1	3	1
2	1	

풀이

답 _____

쌓은 모양을 보고 쌓기나무의 개수 구하기

2 주어진 모양과 똑같이 쌓는 데 필요한 쌓기나무는 몇 개인가요?

위에서 본 모양

풀이 ❶ 위에서 본 모양의 각 자리에 수 쓰기

❷

답 _____

위, 앞, 옆에서 본 모양을 보고 쌓기나무의 개수 구하기 060쪽

3 쌓기나무로 쌓은 모양을 위, 앞, 옆에서 본 모양입니다. 똑같은 모양으로 쌓는 데 필요한 쌓기나무는 몇 개인가요?

풀이 ❶ 위에서 본 모양에 수를 써서 나타내기: 위

❷

답

만들 수 있는 모양의 수 구하기 070쪽

4 쌓기나무 60개를 모두 사용하여 다음과 똑같은 모양을 여러 개 만들려고 합니다. 만들 수 있는 모양은 모두 몇 개인가요?

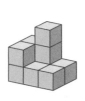

위에서 본 모양

풀이

답 _____

위, 앞에서 본 모양을 보고 옆에서 본 모양 그리기 070쪽

5 쌓기나무로 쌓은 모양을 위, 앞에서 본 모양입니다. 옆에서 본 모양을 그려 보세요.

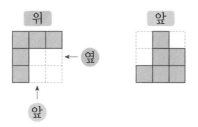

풀이 ❶ 위에서 본 모양에 수를 써서 나타내기:

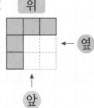

❷ 옆에서 본 모양 그리기: 답

{ 실전 마무리 하기 }

빼낸(더 쌓는) 쌓기나무의 개수 구하기 ○065쪽

6 오른쪽은 쌓기나무로 쌓은 모양과 위에서 본 모양입니다. 쌓기나무를 더 쌓아서 가장 작은 정육면체 모양을 만들려고 합니다. 더 필요한 쌓기나무는 몇 개인가요?

위에서 본 모양

풀이 ▶

답 _____

층별로 나타낸 모양을 보고 문제 해결하기 ○067쪽

7 오른쪽은 쌓기나무로 쌓은 모양을 층별로 나타낸 모양입니다. 앞, 옆에서 본 모양을 각각 그려 보세요.

1층   2층   3층
←옆   ←옆   ←옆
↑앞   ↑앞   ↑앞

풀이 ❶ 위에서 본 모양을 그리고 각 자리에 수를 써서 나타내기:

위
←옆
↑앞

❷ 앞, 옆에서 본 모양 그리기: 답   앞   옆

앞에서 본 모양의 넓이 구하기 ○071쪽

8 오른쪽은 한 면의 넓이가 1 cm²인 정육면체 모양의 쌓기나무 12개로 쌓은 모양입니다. 빨간색 쌓기나무 2개를 빼냈을 때 앞에서 본 모양의 넓이는 몇 cm²인가요?

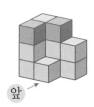

앞

풀이 ❶ 빨간색 쌓기나무 2개를 빼냈을 때 앞에서 본 모양 그리기: 앞

❷

답 _____

보이지 않는 곳에 쌓은 쌓기나무의 개수 구하기 068쪽

9 쌓기나무로 쌓은 모양과 위에서 본 모양입니다. 똑같은 모양으로 쌓는 데 필요한 쌓기나무는 몇 개인가요?

위에서 본 모양

풀이 ❶ 위에서 본 모양의 각 자리에 수 쓰기

❷

답 _____

3

공간과 입체

81

조건을 만족하는 쌓기나무의 모양 구하기 063쪽

10 [조건]을 만족하는 모양은 모두 몇 가지인가요?

[조건]
- 쌓기나무 6개로 쌓은 모양입니다.
- 2층짜리 모양입니다.
- 위에서 본 모양은 입니다.

풀이 ❶

❷

❸ 위에서 본 모양에 수를 써서 [조건]을 만족하는 모양을 모두 나타내고 가짓수 구하기:

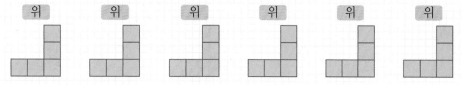

답 _____

4 비례식과 비례배분

FUN 한 이야기

지영이가 레모네이드를 만들려고 해요.

태형이도 지영이를 따라 레모네이드를 만들려고 해요.

태형이는 레몬즙을 $\frac{1}{3}$컵, 탄산수를 $\frac{3}{5}$컵 넣었어요.

태형이가 사용한 레몬즙의 양과 탄산수의 양의 비를 구해 볼까요?

태형이가 레몬즙을 $\frac{1}{3}$컵, 탄산수를 $\frac{3}{5}$컵 넣어 레모네이드를 만들었어요. /

태형이가 사용한 레몬즙의 양과 탄산수의 양의 비를 /

간단한 자연수의 비로 나타내어 보세요.

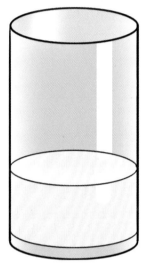

레몬즙 $\frac{1}{3}$ 컵 　　　　 탄산수 $\frac{3}{5}$ 컵

분수의 비를 간단한 자연수의 비로 나타내려면
전항과 후항에 각각 두 분모의 최소공배수를 곱해.

(레몬즙의 양) : (탄산수의 양) $= \frac{1}{3} : \frac{3}{5}$

$\frac{1}{3} : \frac{3}{5}$ → $\left(\frac{1}{3} \times 15\right) : \left(\frac{3}{5} \times 15\right)$ → $\square : \square$

 _____

{ 문제 해결력 기르기 }

① 간단한 자연수의 비로 나타내기

선행 문제 해결 전략

• 간단한 자연수의 비로 나타내기

① 자연수의 비

전항, 후항을 **두 수의 최대공약수**로 나눈다.

예 $16 : 12$ ➡ $(16 \div 4) : (12 \div 4)$
➡ $4 : 3$

② 소수의 비

전항, 후항에 **10, 100, 1000**⋯⋯을 곱한다.

예 $0.3 : 0.7$ ➡ $(0.3 \times 10) : (0.7 \times 10)$
➡ $3 : 7$

③ 분수의 비

전항, 후항에 **두 분모의 최소공배수**를 곱한다.

예 $\frac{1}{2} : \frac{1}{5}$ ➡ $(\frac{1}{2} \times 10) : (\frac{1}{5} \times 10)$
➡ $5 : 2$

선행 문제 ①

간단한 자연수의 비로 나타내어 보세요.

(1) $18 : 30$

풀이 $18 : 30$

➡ $(18 \div 6) : (30 \div \boxed{})$

➡ $\boxed{} : \boxed{}$

(2) $\frac{5}{7} : \frac{9}{14}$

풀이 $\frac{5}{7} : \frac{9}{14}$

➡ $(\frac{5}{7} \times 14) : (\frac{9}{14} \times \boxed{})$

➡ $\boxed{} : \boxed{}$

실행 문제 ①

승우네 학교의 6학년 학생은 240명이고/
이 중 남학생은 140명이라고 합니다./
6학년 남학생 수와 여학생 수의 비를/
간단한 자연수의 비로 나타내어 보세요.

전략 (전체 학생 수)−(남학생 수)

❶ (여학생 수)

$= \boxed{} - \boxed{} = \boxed{}$ (명)

전략 두 수의 최대공약수로 나누어 간단한 자연수의 비로 나타
내자.

❷ (남학생 수) : (여학생 수) ➡ $140 : \boxed{}$

➡ $7 : \boxed{}$

답 _____

쌍둥이 문제 1-1

어느 연극의 관객 수는 88명이고/
이 중 여자 관객은 56명이라고 합니다./
남자 관객 수와 여자 관객 수의 비를/
간단한 자연수의 비로 나타내어 보세요.

실행 문제 따라 풀기

❶

❷

답 _____

② 비례식 활용하기

선행 문제 해결 전략

예 사과와 배의 수의 비가 3 : 5이고, 사과가 18개
일 때 배의 수 구하기

① 배의 수를 ☐개라 하고 비례식 세우기

비례식을 세울 때는
전항과 **후항**이 나타내는 것의
순서에 맞게 세워야 해.

$$3 : 5 = 18 : ☐$$
↑ 사과 ↑ 배 ↑ 사과 ↑ 배

② 비례식의 성질을 이용하여 ☐ 구하기

$3 : 5 = 18 : ☐$

➜ $3 × ☐ = 5 × 18$, $3 × ☐ = 90$,

$☐ = 90 ÷ 3 = 30$

선행 문제 ②

구하려는 것을 ☐라 하고 비례식을 세워 보세요.

(1)
> 놀이공원에 입장한 <u>어른 수</u>와 <u>어린이 수</u>
> <u>의 비는 7 : 5</u>입니다. <u>어른이 84명</u>일 때
> 어린이는 몇 명인가요?

비례식 7 : 5 = _____ : _____

(2)
> <u>가로와 세로의 비가 3 : 2</u>인 직사각형 모양
> 의 텃밭이 있습니다. 텃밭의 <u>실제 세로 길이</u>
> <u>가 18 m</u>일 때 가로 길이는 몇 m인가요?

비례식 3 : 2 = _____ : _____

실행 문제 ②

지혜와 윤수가 연필을 4 : 5로 나누어 가졌습니다./
지혜가 연필을 20자루 가졌다면/
윤수는 연필을 몇 자루 가졌나요?

전략 (지혜의 연필 수) : (윤수의 연필 수) = 4 : 5

❶ 지혜가 연필을 20자루 가졌을 때 윤수가 가진
연필의 수를 ☐자루라 하고 비례식을 세우면

비례식 4 : 5 = _____ : _____

전략 '외항의 곱과 내항의 곱은 같다'라는 비례식의 성질을 이용
하여 ☐를 구하자.

❷ $4 × ☐ = 5 × ☐$, $4 × ☐ = ☐$

➜ $☐ = ☐$

윤수는 연필을 ☐자루 가졌다.

답 _____

쌍둥이 문제 2-1

쌀과 콩을 8 : 3으로 섞어 밥을 지으려고 합니다./
콩을 150 g 넣었다면/
쌀은 몇 g 넣어야 하나요?

실행 문제 따라 풀기

❶

❷

답 _____

{ 문제 **해결력** 기르기 }

③ 비례배분하기

선행 문제 해결 전략

비례배분: 전체를 주어진 비로 배분하는 것

예 구슬 9개를 현우와 보라가 **1 : 2**로 나누어 가졌을 때 두 사람이 각각 가진 구슬의 수 구하기

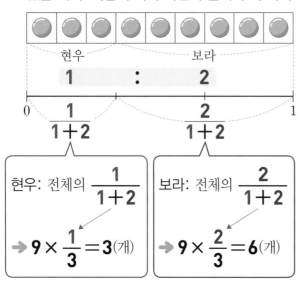

현우: 전체의 $\dfrac{1}{1+2}$

보라: 전체의 $\dfrac{2}{1+2}$

➡ $9 \times \dfrac{1}{3} = 3$(개) ➡ $9 \times \dfrac{2}{3} = 6$(개)

선행 문제 ③

연필 20자루를 아린이와 민재가 3 : 7로 나누어 가졌습니다. 두 사람이 가진 연필은 각각 몇 자루인가요?

풀이

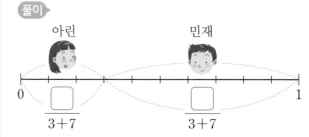

➡ (아린이가 가진 연필의 수)

$$= 20 \times \dfrac{\square}{10} = \square(자루)$$

(민재가 가진 연필의 수)

$$= 20 \times \dfrac{\square}{10} = \square(자루)$$

실행 문제 ③

문구점에서 산 공책 44권을/
찬희와 윤지가 6 : 5로 나누어 가졌습니다./
찬희는 윤지보다 공책을 몇 권 더 많이 가졌나요?

전략 공책 44권을 6 : 5로 나누자.

❶ (찬희가 가진 공책의 수)

$$= 44 \times \dfrac{\square}{6+5} = \square(권)$$

(윤지가 가진 공책의 수)

$$= 44 \times \dfrac{\square}{6+5} = \square(권)$$

❷ 찬희는 윤지보다 공책을

$\square - \square = \square$(권) 더 많이 가졌다.

 _____

쌍둥이 문제 3-1

밀가루 반죽 500 g을/
빵과 쿠키를 만들려고 2 : 3으로 나누었습니다./
쿠키 반죽은 빵 반죽보다 몇 g 더 많나요?

실행 문제 따라 풀기

❶

❷

 _____

④ 두 도형의 넓이의 비를 구하여 도형의 넓이 구하기

선행 문제 해결 전략

• 높이가 같은 두 평행사변형의 넓이의 비 구하기

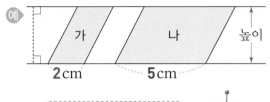

(평행사변형의 넓이)
=(밑변의 길이)×(높이)

(가의 넓이)=**2**×(높이), (나의 넓이)=**5**×(높이)

(가의 넓이) : (나의 넓이)
➡ **2**×(높이) : **5**×(높이)
➡ **2 : 5**

> **높이가 같을 때 두 평행사변형의
> 넓이의 비는 밑변의 길이의 비와 같다.**

선행 문제 ④

평행사변형 가와 나의 넓이의 비를 간단한 자연수의 비로 나타내어 보세요.

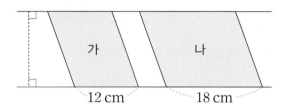

풀이 두 평행사변형의 높이가 같으므로

(가의 넓이) : (나의 넓이)

➡ (가의 밑변의 길이) : (나의 밑변의 길이)

➡ 12 : ☐

➡ 2 : ☐

4

비례식과 비례배분

87

실행 문제 ④

평행사변형 가와 나의 넓이의 합은 84 cm²입니다./
평행사변형 가의 넓이는 몇 cm²인가요?

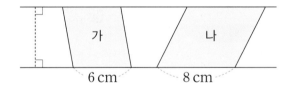

전략 높이가 같을 때 넓이의 비는 밑변의 길이의 비와 같다.

❶ (가의 넓이) : (나의 넓이)

➡ 6 : ☐

➡ ☐ : 4

전략 가와 나의 넓이의 합을 ❶에서 구한 비로 배분하여 구하자.

❷ (가의 넓이)

$$=84×\frac{☐}{☐+4}=☐\,(cm^2)$$

답 _____

쌍둥이 문제 ④-1

평행사변형 가와 나의 넓이의 합은 128 cm²입니다./
평행사변형 나의 넓이는 몇 cm²인가요?

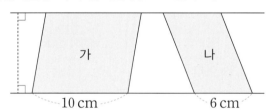

실행 문제 따라 풀기

❶

❷

답 _____

⑤ **곱셈식을 보고 간단한 자연수의 비로 나타내기**

선행 문제 해결 전략

• 곱셈식을 보고 ㉮와 ㉯의 비 구하기

> '외항의 곱과 내항의 곱은 같다'
> 라는 비례식의 성질을 이용해.

예

㉮ × 3 = ㉯ × 2
외항의 곱   내항의 곱

외항의 곱
┌─────────┐
㉮ : ㉯ = **2 : 3**
└─────────┘
내항의 곱

㉮와 ㉯의 비를 구하면 ㉮ : ㉯ ➡ 2 : 3

㉮ × ● = ㉯ × ▲ ➡ ㉮ : ㉯ = ▲ : ●

선행 문제 ⑤

㉮와 ㉯의 비를 구해 보세요.

$$㉮ × 5 = ㉯ × 4$$

풀이 ㉮ × 5를 외항의 곱, ㉯ × 4를 내항의 곱이라 하여 비례식으로 나타낸다.

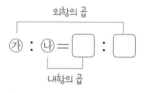

외항의 곱
┌─────────┐
㉮ : ㉯ = □ : □
└─────────┘
내항의 곱

㉮와 ㉯의 비를 구하면 ㉮ : ㉯ ➡ □ : □

실행 문제 ⑤

㉮ : ㉯를 간단한 자연수의 비로 나타내어 보세요.

$$㉮ × \frac{3}{5} = ㉯ × \frac{1}{4}$$

전략 ㉮ × $\frac{3}{5}$을 외항의 곱, ㉯ × $\frac{1}{4}$을 내항의 곱이라 생각하자.

❶ 비례식으로 나타내면

㉮ : ㉯ = □ : □

❷ ㉮ : ㉯ ➡ $\frac{1}{4}$: □

➡ 5 : □

답 _____

쌍둥이 문제 5-1

㉮ : ㉯를 간단한 자연수의 비로 나타내어 보세요.

$$㉮ × \frac{5}{9} = ㉯ × \frac{2}{3}$$

실행 문제 따라 풀기

❶

❷

답 _____

⑥ 톱니 수와 회전수 사이의 관계를 이용하여 문제 해결하기

해결 전략

• 두 톱니바퀴의 톱니 수와 회전수 사이의 관계 알아보기

예

톱니 **10**개 　톱니 **15**개

> 두 톱니바퀴가 맞물려 돌아가면
> 두 톱니바퀴의 움직인 톱니 수가 같다.
> (움직인 톱니 수)＝(톱니 수)×(회전수)

(㉮가 움직인 톱니 수)＝(㉯가 움직인 톱니 수)

10×(㉮의 회전수)＝**15**×(㉯의 회전수)

㉮의 톱니 수 　㉯의 톱니 수

(㉮의 회전수) : (㉯의 회전수) ➡ **15** : **10**

> 톱니 수의 비가 10 : 15인
> 두 톱니바퀴의 회전수의 비는 15 : 10이야.
> (㉮의 톱니 수) : (㉯의 톱니 수) ➡ ● : ▲이면
> (㉮의 회전수) : (㉯의 회전수) ➡ ▲ : ●이야.

실행 문제 ⑥

맞물려 돌아가는 두 톱니바퀴 ㉮와 ㉯가 있습니다./
㉮의 톱니는 16개이고, ㉯의 톱니는 24개입니다./
㉮가 15바퀴 돌 때 ㉯는 몇 바퀴 돌게 되나요?

❶ (㉮의 톱니 수) : (㉯의 톱니 수)

➡ ☐ : 24

전략 ▷ (㉮의 톱니 수) : (㉯의 톱니 수) ➡ ● : ▲이면
(㉮의 회전수) : (㉯의 회전수) ➡ ▲ : ●이다.

❷ (㉮의 회전수) : (㉯의 회전수)

➡ 24 : ☐

❸ ㉮가 15바퀴 돌 때 ㉯의 회전수를 ☐바퀴라
하고 비례식을 세우면

24 : ☐ ＝15 : ☐

➡ 24×☐＝☐×15, 24×☐＝☐,

☐＝☐

답 _____

쌍둥이 문제 ⑥-1

맞물려 돌아가는 두 톱니바퀴 ㉮와 ㉯가 있습니다./
㉮의 톱니는 15개이고, ㉯의 톱니는 9개입니다./
㉮가 12바퀴 돌 때 ㉯는 몇 바퀴 돌게 되나요?

실행 문제 따라 풀기

❶

❷

❸

답 _____

{ 수학 **사고력** 키우기 }

😊 **간단한 자연수의 비로 나타내기**

ⓒ 연계학습 084쪽

대표 문제 ①

어떤 일을 일정한 빠르기로 하는 데/
지수는 3시간, 현아는 2시간이 걸렸습니다./
지수와 현아가 1시간 동안 한 일의 양의 비를/
간단한 자연수의 비로 나타내어 보세요.

😊 **구하려는 것은?**

지수와 현아가 1시간 동안 한 일의 양의 비

😊 **어떻게 풀까?**

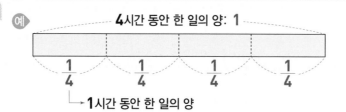

예

4시간 동안 한 일의 양: 1

$\dfrac{1}{4}$ $\dfrac{1}{4}$ $\dfrac{1}{4}$ $\dfrac{1}{4}$

↳ **1시간 동안 한 일의 양**

😊 **해결해 볼까?**

❶ 전체 일의 양을 1이라고 할 때 지수와 현아가 각각 1시간 동안 한 일의 양은?

　답 지수: _____ , 현아: _____

❷ 지수와 현아가 1시간 동안 한 일의 양의 비를 간단한 자연수의 비로 나타내면?

답 _____

쌍둥이 문제

1-1

수도에서 일정한 빠르기로 물을 받아 욕조를 가득 채우는 데/
수도 A는 6분, 수도 B는 8분이 걸립니다./
수도 A와 B에서 1분 동안 나오는 물의 양의 비를/
간단한 자연수의 비로 나타내어 보세요.

😊 **대표 문제 따라 풀기**

❶

❷

답 _____

😊 비례식 활용하기

ⓒ 연계학습 085쪽

대표 문제 2

일정한 빠르기로 2시간 동안/
170 km를 가는 오토바이가 있습니다./
같은 빠르기로 이 오토바이가 425 km를 갔다면/
몇 시간이 걸렸는지 구해 보세요.

😊 **구하려는 것은?**

오토바이가 425 km를 가는 데 걸린 시간

😊 **어떻게 풀까?**

조건에 맞게 비례식을 여러 가지 방법으로 세울 수 있다.

> 2시간 동안 170 km　　몇 시간 동안 425 km

방법1 (걸린 시간) : (간 거리)＝(걸린 시간) : (간 거리)

방법2 (걸린 시간) : (걸린 시간)＝(간 거리) : (간 거리)

주의 같은 상황에서 걸린 시간과 간 거리에 알맞게 비례식을 세워야 한다.

😊 **해결해 볼까?**

❶ 오토바이가 425 km를 가는 데 걸린 시간을 □시간이라 하고 비례식을 세우면?

비례식 2 : 170 ＝ _____ : _____

❷ 오토바이가 425 km를 가는 데 걸린 시간은?

전략 '외항의 곱과 내항의 곱은 같다'라는 비례식의 성질을
이용하여 □를 구하자.

답 _____

쌍둥이 문제 2-1

어느 야구 선수가 10타수마다/
안타를 4번씩 친다고 합니다./
이 선수는 85타수 중에서/
안타를 몇 번 칠 것으로 예상되나요?

😊 **대표 문제 따라 풀기**

❶

❷

답 _____

4

비례식과 비례배분

😀 비례배분하기

ⓒ 연계학습 086쪽

대표 문제 ③

현수와 민지가 각각 80만 원, 120만 원을 투자하여/
이익금 30만 원을 얻었습니다./
이익금을 투자한 금액의 비로 나누어 가졌다면/
민지는 현수보다 이익금을 얼마 더 많이 가졌는지 구해 보세요.

😊 **구하려는 것은?**

민지가 현수보다 더 많이 가진 이익금의 액수

🐻 **어떻게 풀까?**

1 이익금을 투자한 금액의 비로 나누어 가졌으므로 먼저 투자한 금액의 비를 구하고,
2 이익금을 비례배분하자.

😀 **해결해 볼까?**

❶ 현수와 민지가 투자한 금액의 비를 간단한 자연수의 비로 나타내면?

답 _____

❷ 현수와 민지가 가진 이익금은 각각 얼마?

전략▷ 이익금 30만 원을 ❶에서 구한 비로 나누자.

답 현수 : _____ , 민지 : _____

❸ 민지가 현수보다 더 많이 가진 이익금은 얼마?

답 _____

쌍둥이 문제

3-1

시은이와 지환이는 각각 3시간, 5시간 동안 일을 하고/
16만 원을 받았습니다./
받은 돈을 일을 한 시간의 비로 나누어 가진다면/
지환이는 시은이보다 얼마 더 많이 가지나요?

😊 **대표 문제 따라 풀기**

❶

❷

❸

답 _____

두 도형의 넓이의 비를 구하여 도형의 넓이 구하기

연계학습 087쪽

대표 문제 4 오른쪽 삼각형 가와 나의 넓이의 합은 33 cm²입니다. /
삼각형 가의 넓이는 몇 cm²인지/
비례배분을 이용하여 구해 보세요.

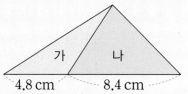

구하려는 것은? 삼각형 가의 넓이

어떻게 풀까?

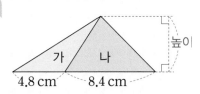

높이가 같을 때 두 삼각형의 넓이의 비는
밑변의 길이의 비와 같다.
(가의 넓이) : (나의 넓이)
➡ **(가의 밑변의 길이) : (나의 밑변의 길이)**

해결해 볼까?

❶ 삼각형 가와 나의 넓이의 비를 간단한 자연수의 비로 나타내면?

답 _____

❷ 삼각형 가의 넓이는 몇 cm²?

[전략] 가와 나의 넓이의 합을 ❶에서 구한 비로 배분하여 구하자.   답 _____

쌍둥이 문제 4-1 오른쪽 삼각형 가와 나의 넓이의 합은 26 cm²입니다. /
삼각형 나의 넓이는 몇 cm²인지/
비례배분을 이용하여 구해 보세요.

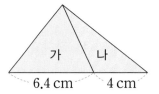

대표 문제 따라 풀기

❶

❷

답 _____

4

비례식과 비례배분

93

{ 수학 사고력 키우기 }

🙂 곱셈식을 보고 간단한 자연수의 비로 나타내기

🄲 연계학습 088쪽

대표 문제 5

두 원 가와 나가 오른쪽과 같이 겹쳐져 있습니다. /

겹쳐진 부분의 넓이는 가의 넓이의 $\frac{1}{3}$이고, 나의 넓이의 $\frac{3}{4}$입니다. /

가와 나의 넓이의 비를 간단한 자연수의 비로 나타내어 보세요.

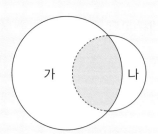

😊 구하려는 것은? 가와 나의 넓이의 비

🐻 어떻게 풀까?

→ 가와 나에서 **겹쳐진 부분의 넓이가 같다는 것**을 이용하여 식을 세우자.

➡ (겹쳐진 부분의 넓이)=(가의 넓이의 $\frac{1}{3}$)=(나의 넓이의 $\frac{3}{4}$)

😊 해결해 볼까?

❶ 😊 **어떻게 풀까?** 를 이용하여 겹쳐진 부분의 넓이를 나타내는 식을 쓰면?

식 (가의 넓이)× ☐ =(나의 넓이)× ☐

❷ 가와 나의 넓이의 비를 간단한 자연수의 비로 나타내면?

전략 ➡ ❶에서 나타낸 식을 보고 가와 나의 넓이의 비를 구하자.   답 _____

쌍둥이 문제 5-1

두 직사각형 가와 나가 오른쪽과 같이 겹쳐져 있습니다. /

겹쳐진 부분의 넓이는 가의 넓이의 0.6이고, 나의 넓이의 $\frac{7}{10}$입니다. /

가와 나의 넓이의 비를 간단한 자연수의 비로 나타내어 보세요.

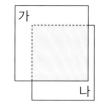

😊 **대표 문제 따라 풀기**

❶

❷

답 _____

톱니 수와 회전수 사이의 관계를 이용하여 문제 해결하기

연계학습 089쪽

대표 문제 6

맞물려 돌아가는 두 톱니바퀴 ㉮와 ㉯가 있습니다. /
㉮가 18바퀴 돌 때 ㉯는 24바퀴 돕니다. /
㉮의 톱니가 40개라면 ㉯의 톱니는 몇 개인지 구해 보세요.

구하려는 것은? ㉯의 톱니 수

어떻게 풀까?

(㉮의 회전수) : (㉯의 회전수) ➡ ● : ▲이면
(㉮의 톱니 수) : (㉯의 톱니 수) ➡ ▲ : ●

> 톱니 수의 비는 회전수의 비에서 전항과 후항의 순서를 바꾸어 구해.

해결해 볼까?

❶ ㉮와 ㉯의 회전수의 비는?

답 _____

❷ ㉮와 ㉯의 톱니 수의 비는?

답 _____

❸ ㉯의 톱니 수를 ☐개라 하여 비례식을 세우고 ㉯의 톱니 수를 구하면?

전략 ❷에서 구한 비를 이용하여 비례식을 세우자.

비례식 _____   답 _____

쌍둥이 문제 6-1

맞물려 돌아가는 두 톱니바퀴 ㉮와 ㉯가 있습니다. /
㉮가 45바퀴 돌 때 ㉯는 30바퀴 돕니다. /
㉮의 톱니가 14개라면 ㉯의 톱니는 몇 개인가요?

대표 문제 따라 풀기

❶

❷

❸

답 _____

4

비례식과 비례배분

95

{ 수학 독해력 완성하기 }

😊 비례배분하기 전의 전체 양 구하기

독해 문제 1

시장에서 산 귤을 신혜와 준영이가 5 : 8로 나누어 가졌더니/
신혜가 가진 귤이 35개였습니다./
시장에서 산 귤은 모두 몇 개인지 구해 보세요.

해결해 볼까?

❶ 시장에서 산 귤을 ☐개라 하고 비례배분을 이용하여 신혜가 가진 귤의 수를 구하는 식을 쓰면?

$$\square \times \dfrac{\boxed{}}{\boxed{}+\boxed{}}=35$$

식 _____

❷ 시장에서 산 귤은 모두 몇 개?

전략 ❶에서 쓴 식에서 ☐를 구하자.

답 _____

😊 비례식의 성질을 이용하여 ☐의 값 구하기

독해 문제 2

비례식이 성립하도록/ ☐ 안에 알맞은 수를 구해 보세요.

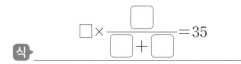

$$4 : (\square + 3) = 10 : 25$$

해결해 볼까?

❶ 비례식의 성질은?

비례식에서 외항의 곱과 ☐☐☐의 곱은 같습니다.

❷ 위의 비례식에서 외항의 곱과 내항의 곱을 각각 구하면?

답 외항의 곱 : _____

내항의 곱 : $(\square + 3) \times \boxed{}$ _____

❸ ☐ 안에 알맞은 수는 얼마?

전략 비례식의 성질과 ❷에서 구한 것을 이용하여 구하자.

답 _____

가로와 세로의 비가 주어진 직사각형의 넓이 구하기

독해 문제 3

오른쪽 직사각형은 가로와 세로의 비가 10 : 7이고/
둘레가 102 cm입니다./
이 직사각형의 넓이를 구해 보세요.

해결해 볼까?

❶ 직사각형의 가로와 세로 길이의 합은 몇 cm?

전략 (가로와 세로 길이의 합)＝(둘레)÷2

답 _____

❷ 직사각형의 가로와 세로의 길이는 각각 몇 cm?

답 가로 : _____ , 세로 : _____

❸ 직사각형의 넓이는 몇 cm²?

답 _____

비례식을 활용하여 빨라지는 시계의 시각 구하기

독해 문제 4

하루에 4분씩 빨라지는 시계가 있습니다./
이 시계를 오전 9시에 정확히 맞추었다면/
다음 날 오후 3시에 이 시계가 가리키는 시각을 구해 보세요.

해결해 볼까?

❶ 오전 9시부터 다음 날 오후 3시까지의 시간은 모두 몇 시간?

전략 (오전 9시부터 다음 날 오전 9시까지의 시간)
＋(다음 날 오전 9시부터 오후 3시까지의 시간)

답 _____

❷ ❶에서 구한 시간 동안 시계가 빨라지는 시간을 ☐분이라 하여 비례식을 세우고 ☐의 값을 구하면?

전략 하루는 24시간이다.

비례식 _____ 답 _____

❸ 다음 날 오후 3시에 이 시계가 가리키는 시각은 오후 몇 시 몇 분?

답 _____

{ 수학 **독해력** 완성하기 }

연계학습 094쪽

곱셈식을 보고 간단한 자연수의 비로 나타내기

독해 문제 **5**

두 원 가와 나가 오른쪽 그림과 같이 겹쳐져 있습니다. /
가와 나의 넓이의 합이 $180 \, \text{cm}^2$이고 /
겹쳐진 부분의 넓이는 가의 넓이의 $\dfrac{7}{20}$, 나의 넓이의 $\dfrac{1}{4}$입니다. /
가의 넓이를 구해 보세요.

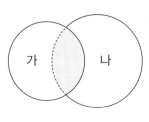

구하려는 것은? 가의 넓이

주어진 것은?
- 겹쳐져 있는 두 원 가와 나
- 가와 나의 넓이의 합: $\boxed{} \, \text{cm}^2$
- (겹쳐진 부분의 넓이)$=\left(\text{가의 넓이의 } \dfrac{7}{20}\right)=\left(\text{나의 넓이의 } \dfrac{1}{4}\right)$

어떻게 풀까?
1 겹쳐진 부분의 넓이가 같다는 것을 이용하여 식을 쓰고,
2 1에서 나타낸 식을 보고 가와 나의 넓이의 비를 구한 뒤,
3 비례배분하여 가의 넓이를 구하자.

해결해 볼까?

❶ 겹쳐진 부분의 넓이를 나타내는 식을 쓰면?

식 (가의 넓이)$\times \boxed{} =$(나의 넓이)$\times \boxed{}$

❷ ❶에서 나타낸 식을 보고 가와 나의 넓이의 비를 간단한 자연수의 비로 나타내면?

답 _____

❸ 가의 넓이는 몇 cm^2?

전략 가와 나의 넓이의 합을
❷에서 구한 비로 배분하여 구하자.

답 _____

비례배분하기

ⓒ 연계학습 092쪽

독해 문제 6

준서와 승아는 젤리를 각각 30개씩 가지고 있었습니다. /
승아가 준서에게 젤리를 몇 개 주었더니 /
준서와 승아가 가진 젤리 수의 비가 3 : 2가 되었습니다. /
승아가 준서에게 준 젤리는 몇 개인지 구해 보세요.

구하려는 것은? 승아가 준서에게 준 젤리의 수

주어진 것은?
• 준서가 처음에 가지고 있던 젤리의 수: 30개
• 승아가 처음에 가지고 있던 젤리의 수: 30개
• 승아가 준서에게 젤리를 몇 개 준 후 준서와 승아가 가진 젤리 수의 비

➡ ☐ : ☐

어떻게 풀까? 한쪽에서 다른 쪽으로 옮겨도 전체 개수는 변하지 않는다.

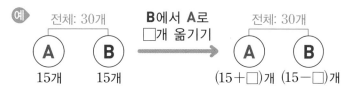

해결해 볼까?

❶ 준서와 승아가 처음에 가지고 있던 젤리 수의 합은 모두 몇 개?

답

❷ 승아가 준서에게 젤리를 준 후 승아의 젤리는 몇 개?

전략 전체 젤리의 수를 3 : 2로 배분하여 구하자.

답

❸ 승아가 준서에게 준 젤리는 몇 개?

전략 승아가 처음에 가지고 있던 젤리의 수에서
❷에서 구한 젤리의 수를 빼자.

답

4

비례식과 비례배분

99

{ 창의·융합·코딩 체험하기 }

 7 : 3＝28 : 12가 비례식인지 아닌지 판별하는 순서도입니다./
A＝7, B＝3, C＝28, D＝12를 입력했을 때/
출력되어 나오는 표시는 ○인가요, ×인가요?

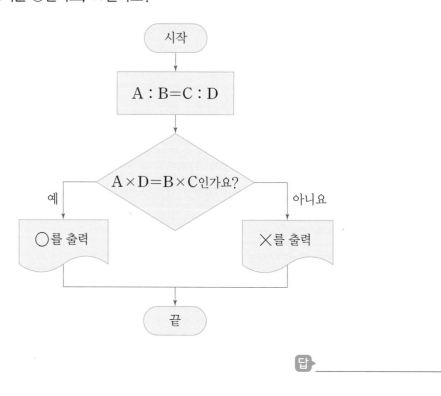

답 _____

 떡볶이 4인분을 만드는 데 필요한 재료의 양입니다./
영수는 떡볶이 10인분을 만들어 친구들을 초대하려고 합니다./
필요한 떡의 양은 몇 g인가요?

재료	양
떡	380 g
고추장	1큰술
고춧가루	2큰술
설탕	3큰술

(출처: successo images/shutterstock)

답 _____

융합 3 동지는 1년 중 밤의 길이가 가장 긴 날입니다./
어느 해 동짓날 낮과 밤의 길이의 비가 3 : 5였다면/
밤의 길이는 몇 시간인가요?

낮

밤

낮과 밤의 길이의 합은
하루이므로 24시간이야.

답 _____

코딩 4 로봇이 다음 명령에 따라 움직이면서 지나간 칸에 감자를 심는다고 합니다./
명령을 실행하고 난 후 감자를 심은 칸수와 감자를 심지 않은 칸수의 비를/
간단한 자연수의 비로 나타내어 보세요.

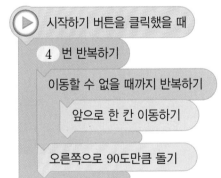

시작하기 버튼을 클릭했을 때
4 번 반복하기
이동할 수 없을 때까지 반복하기
앞으로 한 칸 이동하기
오른쪽으로 90도만큼 돌기

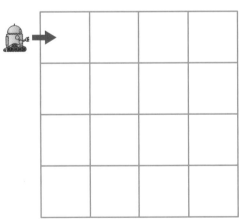

답 _____

창의·융합·코딩 체험하기

창의 **5** 윤수와 친구들이 각자 도화지에 그림을 그려/
겹치지 않게 4장을 이어 붙여 다음과 같이 협동화를 완성하였습니다./
도화지의 가로와 세로의 비는 3 : 2이고/
도화지 한 장의 가로가 33 cm일 때/ 완성된 협동화의 세로는 몇 cm인가요?

답 _____

창의 **6** 수진이네 가족 4명과 지우네 가족 5명이 함께 캠핑 여행을 다녀왔습니다./
두 가족이 사용한 전체 여행 경비는 다음과 같고,/
가족 수에 따라 여행 경비를 나누어 내기로 했을 때/ 수진이네 가족은 얼마를 내야 하나요?

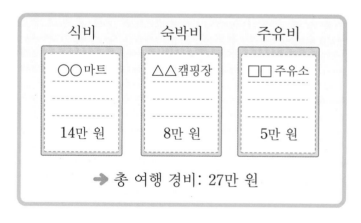

식비	숙박비	주유비
○○마트	△△캠핑장	□□주유소
14만 원	8만 원	5만 원

➡ 총 여행 경비: 27만 원

답 _____

자전거의 페달과 바퀴에는 각각 체인으로 맞물린 톱니바퀴가 있습니다.
페달을 1번 돌리면 큰 톱니바퀴가 1바퀴 돕니다.
큰 톱니바퀴의 톱니 수는 30개이고, 작은 톱니바퀴의 톱니 수는 18개입니다.
페달을 48번 돌릴 때 작은 톱니바퀴는 몇 바퀴 도는지 구해 보세요.

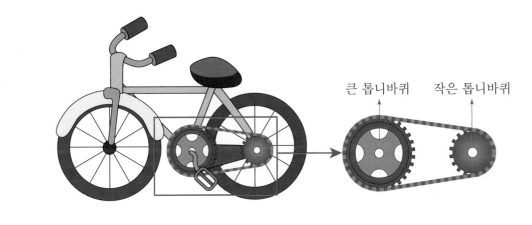

큰 톱니바퀴   작은 톱니바퀴

페달을 1번 돌리면
큰 톱니바퀴가 1바퀴 돌아.

두 톱니바퀴는 체인으로 이어져
있어서 움직인 톱니 수가 같아.

4

비례식과 비례배분

(1) 큰 톱니바퀴와 작은 톱니바퀴의 회전수의 비를 간단한 자연수의 비로 나타내어 보세요.

답

(2) 페달을 48번 돌릴 때 큰 톱니바퀴는 몇 바퀴 도나요?

답

(3) 페달을 48번 돌릴 때 작은 톱니바퀴는 몇 바퀴 도나요?

답

{ 실전 **마무리** 하기 }

비례식 활용하기 C085쪽

1 은우네 반 남학생 수와 여학생 수의 비는 4 : 3입니다. 여학생이 12명이라면 남학생은 몇 명인 가요?

 풀이

답 _____

비례배분하기 C086쪽

2 찰흙 520 g을 하연이와 주희가 5 : 8로 나누어 가졌습니다. 하연이와 주희가 가진 찰흙의 양은 각각 몇 g인가요?

 풀이

답 하연: _____ , 주희: _____

간단한 자연수의 비로 나타내기 C090쪽

3 어떤 일을 일정한 빠르기로 하는 데 영우는 5일, 준호는 6일이 걸렸습니다. 영우와 준호가 하루 동안 한 일의 양의 비를 간단한 자연수의 비로 나타내어 보세요.

 풀이

답 _____

비례식 활용하기 ◯091쪽

4 바닷물 4 L를 증발시키면 128 g의 소금을 얻을 수 있습니다. 바닷물 15 L를 증발시키면 몇 g의 소금을 얻을 수 있는지 비례식을 세워 구해 보세요.

풀이

답 _____

두 도형의 넓이의 비를 구하여 도형의 넓이 구하기 ◯087쪽

5 평행사변형 가와 나의 넓이의 합은 210 cm²입니다. 평행사변형 가의 넓이는 몇 cm²인가요?

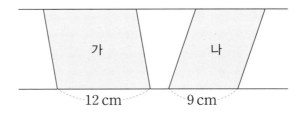

풀이

답 _____

비례식과 비례배분

105

비례배분하기 전의 전체 양 구하기 ⟲096쪽

6 마트에서 산 사탕을 빨간색 통과 파란색 통에 7 : 3으로 나누어 담았습니다. 파란색 통에 담은 사탕이 24개일 때 마트에서 산 사탕은 모두 몇 개인가요?

풀이

답 _____

비례식의 성질을 이용하여 □의 값 구하기 ⟲096쪽

7 비례식이 성립하도록 □ 안에 알맞은 수를 구해 보세요.

$$(\square - 6) : 8 = 13 : 4$$

풀이

답 _____

가로와 세로의 비가 주어진 직사각형의 넓이 구하기 ⟲097쪽

8 길이가 50 cm인 철사를 겹치지 않게 모두 사용하여 가로와 세로의 비가 2 : 3인 직사각형 모양을 만들었습니다. 만든 직사각형의 넓이는 몇 cm²인가요?

풀이

답 _____

곱셈식을 보고 간단한 자연수의 비로 나타내기 094쪽

9 두 직사각형 가와 나가 다음과 같이 겹쳐져 있습니다. 겹쳐진 부분의 넓이는 가의 넓이의 $\frac{5}{8}$이고, 나의 넓이의 $\frac{2}{5}$입니다. 가와 나의 넓이의 비를 간단한 자연수의 비로 나타내어 보세요.

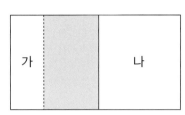

답 _____

톱니 수와 회전수 사이의 관계를 이용하여 문제 해결하기 089쪽

10 맞물려 돌아가는 두 톱니바퀴 ㉮와 ㉯가 있습니다. ㉮의 톱니는 24개이고, ㉯의 톱니는 42개입니다. ㉮가 35바퀴 돌 때 ㉯는 몇 바퀴 돌게 되나요?

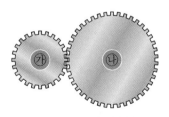

풀이

답 _____

5 원의 넓이

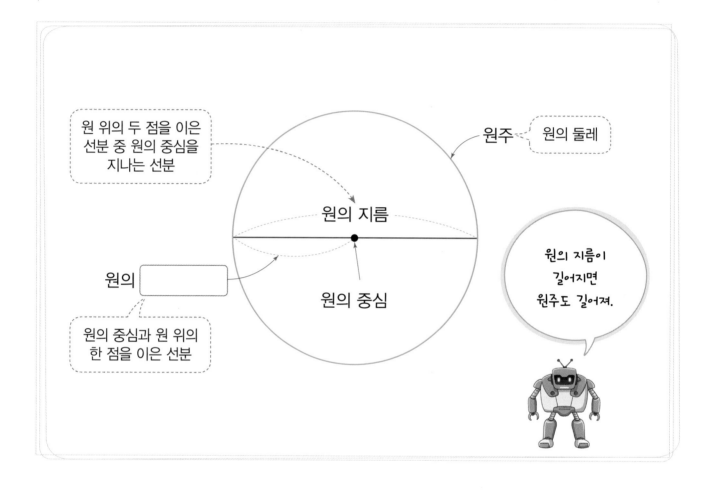

원 위의 두 점을 이은 선분 중 원의 중심을 지나는 선분

원주 — 원의 둘레

원의 지름

원의 중심

원의 [ ]

원의 중심과 원 위의 한 점을 이은 선분

원의 지름이 길어지면 원주도 길어져.

원의 크기와 관계없이 원주율은 일정해.

원주율과 원주 구하는 식을 써 보자.

원주율: 원의 지름에 대한 [ ]의 비율

(원주율)=(원주)÷([ ])

(원주)=(지름)×([ ])

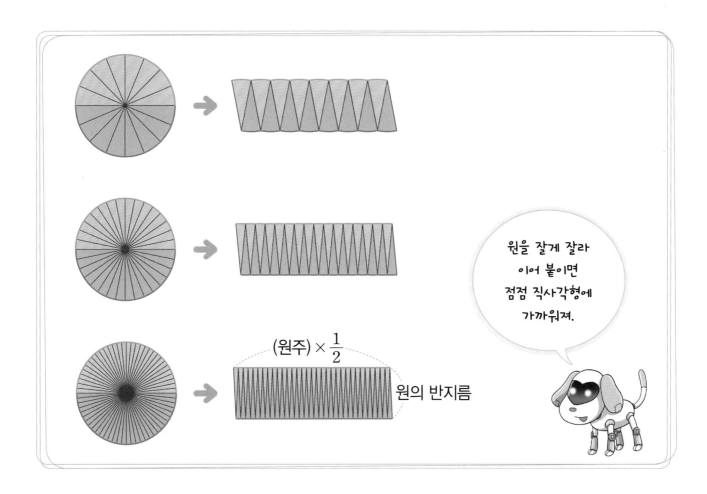

(원주) $\times \frac{1}{2}$

원의 반지름

원을 잘게 잘라
이어 붙이면
점점 직사각형에
가까워져.

직사각형의 넓이
구하는 방법을
이용하면 원의 넓이를
구할 수 있어.

원의 넓이 구하는 식을 써 보자. 🖊

(원의 넓이) = (원주) $\times \frac{1}{2} \times ($ ☐ $)$

= (원주율) $\times$ (지름) $\times \frac{1}{2} \times$ (반지름)

= (☐) $\times$ (반지름) $\times$ (원주율)

STEP 1 { 문제 해결력 기르기 }

① 굴러간 거리·바퀴 수 구하기

5

선행 문제 해결 전략

원을 1바퀴 굴렸을 때
(굴러간 거리)＝(원주)이다.

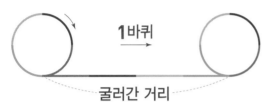

1바퀴

굴러간 거리

(예) 지름이 2 cm인 원을 1바퀴 굴렸을 때 굴러간
거리 구하기 (원주율: 3)

(굴러간 거리)＝(원주)
＝(지름)×(원주율)
＝2×3＝6 (cm)

선행 문제 ①

지름이 10 cm인 원 모양의 바퀴를 1바퀴 굴렸습니다. 바퀴가 굴러간 거리는 몇 cm인가요?

(원주율: 3.1)

10 cm

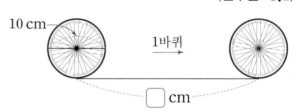

1바퀴

◻ cm

풀이 (바퀴가 굴러간 거리)
＝(원주)
＝(지름)×(원주율)
＝◻×◻＝◻ (cm)

실행 문제 ①

지름이 16 cm인 원 모양의 고리를/
5바퀴 굴렸습니다./
고리가 굴러간 거리는 몇 cm인가요?/

(원주율: 3.1)

❶ (고리의 원주)
＝◻×3.1＝◻ (cm)

❷ (굴러간 바퀴 수)＝◻바퀴

전략 (고리의 원주)×(굴러간 바퀴 수)

❸ (고리가 굴러간 거리)
＝◻×5＝◻ (cm)

쌍둥이 문제 ①-1

지름이 14 cm인 원 모양의 굴렁쇠를/
3바퀴 반 굴렸습니다./
굴렁쇠가 굴러간 거리는 몇 cm인가요?/

(원주율: 3)

실행 문제 따라 풀기

❶

❷

❸

답 _____

답 _____

② 원주 · 원의 넓이 구하기

선행 문제 해결 전략

(예) 원주가 **30 cm**인 원의 지름 구하기 (원주율: 3)

$$(원주)=(지름)×(원주율)$$

(지름)=(원주)÷(원주율)
　　　$=30÷3=10 (cm)$

(예) 넓이가 **75 cm²**인 원의 반지름 구하기

(원주율: 3)

$$(원의 넓이)$$
$$=(반지름)×(반지름)×(원주율)$$

반지름을 □cm라 하면
□×□×3=**75**
➡ □×□=**25**이고
　5×5=**25**이므로 □=**5**이다.

선행 문제 ②

(1) 원주가 18.6 cm인 원의 지름은 몇 cm인가요?

(원주율: 3.1)

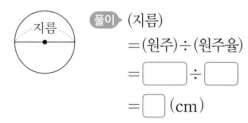

(풀이) (지름)
　　　=(원주)÷(원주율)
　　　=□÷□
　　　=□ (cm)

(2) 넓이가 48 cm²인 원의 반지름은 몇 cm인가요?

(원주율: 3)

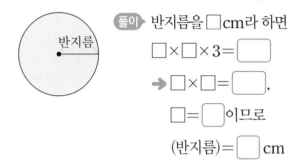

(풀이) 반지름을 □cm라 하면
　　　□×□×3=□
　➡ □×□=□ ,
　　　□=□ 이므로
　　　(반지름)=□ cm

실행 문제 ②

둘레가 24.8 cm인 원 모양의 거울이 있습니다./
이 거울의 넓이는 몇 cm²인가요?/ (원주율: 3.1)

❶ 거울의 넓이를 구하려면
　거울의 □□□을 구해야 한다.

(전략) 거울의 둘레를 이용하여 지름과 반지름을 차례로 구하자.

❷ (지름)=□÷3.1=□ (cm)
　(반지름)=□÷2=□ (cm)

(전략) (원의 넓이)=(반지름)×(반지름)×(원주율)

❸ (거울의 넓이)
　　=□×□×3.1=□ (cm²)

답 _____

쌍둥이 문제 2-1

둘레가 54 cm인 원 모양의 접시가 있습니다./
이 접시의 넓이는 몇 cm²인가요?/ (원주율: 3)

(실행 문제 따라 풀기)

❶

❷

❸

답 _____

{ 문제 **해결력** 기르기 }

③ 일부를 옮겨서 색칠한 부분의 넓이 구하기

선행 문제 해결 전략

- 색칠한 부분 중에서 일부를 옮겨
  넓이를 구하기 쉬운 다른 도형으로 바꾸기

예

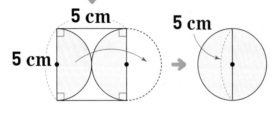

왼쪽 반원을 위의 그림과 같이 옮기면
지름이 **5 cm**인 원이 된다.

선행 문제 ③

색칠한 부분의 넓이는 몇 cm²인가요? (원주율: 3)

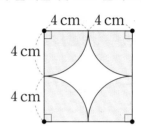

풀이 색칠한 네 부분을 원의 중심을 기준으로
옮기면 반지름이 ☐ cm인 원이 된다.

➡ (색칠한 부분의 넓이)

$$= \boxed{} \times \boxed{} \times 3 = \boxed{} \ (cm^2)$$

실행 문제 ③

색칠한 부분의 넓이는 몇 cm²인가요?

(원주율: 3.14)

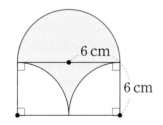

❶ 위쪽의 반원을 반으로 잘라 아래쪽으로 옮기
면 가로가 6 × 2 = ☐ (cm),

세로가 6 cm인 ☐ 사각형이 된다.

전략 (직사각형의 넓이)=(가로)×(세로)

❷ (색칠한 부분의 넓이)

$$= \boxed{} \times 6 = \boxed{} \ (cm^2)$$

쌍둥이 문제 3-1

색칠한 부분의 넓이는 몇 cm²인가요?

(원주율: 3.1)

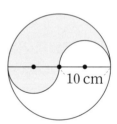

실행 문제 따라 풀기

❶

❷

답 _____

답 _____

④ 원의 넓이를 이용하여 색칠한 부분의 넓이 구하기

선행 문제 해결 전략

> 도형에서 길이가 같은 부분을 찾아 원의 지름을 구할 수 있다.

예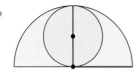

원의 지름은 반원의 반지름과 같다.

예

원의 지름은 마름모의 한 대각선의 길이와 같다.

선행 문제 ④

색칠하지 않은 원의 반지름은 몇 cm인가요?

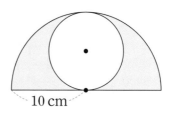
10 cm

풀이 (원의 지름)=(반원의 반지름)

$$=\boxed{}\ \text{cm}$$

(원의 반지름)=(원의 지름)÷2

$$=\boxed{}÷2=\boxed{}\ (\text{cm})$$

실행 문제 ④

색칠한 부분의 넓이는 몇 cm²인가요? (원주율: 3)

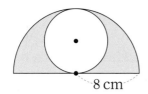
8 cm

❶ (반원의 넓이)

$$=\boxed{}×\boxed{}×3÷2=\boxed{}\ (\text{cm}^2)$$

→ 반지름이 8 cm인 원의 넓이

전략 원의 지름은 반원의 반지름과 같다.

❷ (원의 반지름)=$\boxed{}÷2=\boxed{}\ (\text{cm})$

(원의 넓이)

$$=\boxed{}×\boxed{}×3=\boxed{}\ (\text{cm}^2)$$

전략 (반원의 넓이)−(원의 넓이)

❸ (색칠한 부분의 넓이)

$$=\boxed{}-\boxed{}=\boxed{}\ (\text{cm}^2)$$

답 _____

쌍둥이 문제 4-1

색칠한 부분의 넓이는 몇 cm²인가요? (원주율: 3)

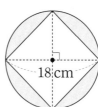
18 cm

실행 문제 따라 풀기

❶

❷

❸

답 _____

5

원의 넓이

113

{ 문제 **해결력** 기르기 }

⑤ 색칠한 부분의 둘레 구하기

선행 문제 해결 전략

· 정사각형 안에 원의 일부를 그렸을 때 각 부분의 길이 알아보기

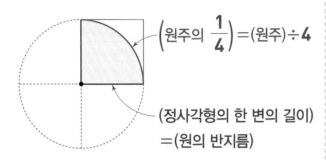

$\left(\text{원주의 } \dfrac{1}{4}\right) = (\text{원주}) \div 4$

(정사각형의 한 변의 길이)
= (원의 반지름)

> 곡선의 길이는 원주를 이용하고,
> 직선의 길이는 변의 길이를 이용하여
> 구할 수 있다.

선행 문제 ⑤

오른쪽 도형은 정사각형 안에 원의 일부를 그린 것입니다. 빨간색 곡선의 길이는 몇 cm인가요?

(원주율: 3)

6 cm

풀이 ▶ (빨간색 곡선의 길이)

$= \left(\text{반지름이 } 6 \text{ cm인 원의 원주의 } \dfrac{1}{\boxed{}}\right)$

$= (\text{반지름}) \times 2 \times (\text{원주율}) \div \boxed{}$

$= \boxed{} \times 2 \times 3 \div \boxed{}$

$= \boxed{} \text{ (cm)}$

실행 문제 ⑤

정사각형 안에 원의 일부를 그렸습니다./
색칠한 부분의 둘레는 몇 cm인가요?/ (원주율: 3.1)

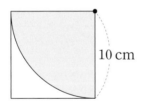

10 cm

전략 ▷ 정사각형의 한 변의 길이를 두 번 더하자.

❶ (직선 부분의 길이의 합)

$= 10 + \boxed{} = \boxed{} \text{ (cm)}$

❷ (곡선 부분의 길이)

$= \left(\text{반지름이 } \boxed{} \text{ cm인 원의 원주의 } \dfrac{1}{4}\right)$

$= \boxed{} \times 2 \times 3.1 \div \boxed{} = \boxed{} \text{ (cm)}$

전략 ▷ (직선 부분의 길이의 합) + (곡선 부분의 길이)

❸ (색칠한 부분의 둘레)

$= \boxed{} + \boxed{} = \boxed{} \text{ (cm)}$

답 _____

쌍둥이 문제 5-1

직사각형 안에 원의 일부를 그렸습니다./
색칠한 부분의 둘레는 몇 cm인가요?/ (원주율: 3)

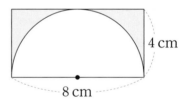

4 cm

8 cm

실행 문제 따라 풀기 ▶

❶

❷

❸

답 _____

6 원의 일부와 선분으로 이루어진 도형의 둘레 구하기

선행 문제 해결 전략

예▶ 도형에서 각 부분의 길이 구하기

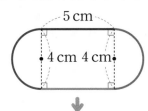

5 cm
4 cm 4 cm

⬇

직선 부분	곡선 부분
	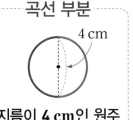
5 cm	4 cm
5 cm	
5 cm짜리 선분 2개	**지름이 4 cm인 원주**

도형의 둘레를 구할 때에는
직선 부분과 곡선 부분으로 나누어 구하자.

선행 문제 6

도형의 둘레에서 곡선 부분의 길이의 합은 몇 cm 인가요? (원주율: 3)

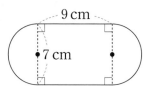

9 cm
7 cm

풀이▶ 곡선 부분을 모으면 지름이 ☐ cm인 원 이 된다.

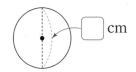

☐ cm

➡ (지름이 7 cm인 원의 원주)
= ☐ × 3 = ☐ (cm)

실행 문제 6

도형의 둘레는 몇 cm인가요? (원주율: 3)

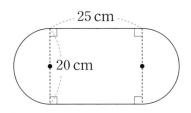

25 cm
20 cm

❶ (직선 부분의 길이의 합)
= 25 × ☐ = ☐ (cm)

전략▷ 곡선 부분을 모으면 지름이 20 cm인 원이 된다.

❷ (곡선 부분의 길이의 합)
= ☐ × 3 = ☐ (cm)

전략▷ (직선 부분의 길이의 합)+(곡선 부분의 길이의 합)

❸ (도형의 둘레)
= ☐ + ☐ = ☐ (cm)

답 _____

쌍둥이 문제 6-1

도형의 둘레는 몇 cm인가요? (원주율: 3.14)

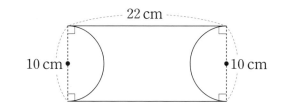

22 cm
10 cm   10 cm

실행 문제 따라 풀기

❶

❷

❸

답 _____

{ 수학 사고력 키우기 }

😊 굴러간 거리 · 바퀴 수 구하기

ⓒ 연계학습 110쪽

대표 문제 1

반지름이 5 cm인 원 모양의 접시를/
그림과 같이 몇 바퀴 굴렸더니 186 cm만큼 굴러갔습니다./
접시를 몇 바퀴 굴린 것인지 구해 보세요./ (원주율: 3.1)

186 cm

구하려는 것은? 접시를 굴린 바퀴 수

어떻게 풀까?

(굴러간 거리)＝(원주)×(굴린 바퀴 수)

(굴린 바퀴 수)＝(굴러간 거리)÷(원주)

몇 바퀴 굴렸는지 구하려면
굴러간 거리와 원주를
알아야겠네~

해결해 볼까?

❶ 접시의 원주는 몇 cm?

답 _____

❷ 접시를 몇 바퀴 굴린 것인가요?

전략 ⟩ 굴러간 거리를 접시의 원주로 나누자.

답 _____

5

원의 넓이

116

쌍둥이 문제 1-1

반지름이 32 cm인 원 모양의 훌라후프를/
몇 바퀴 굴렸더니 768 cm만큼 굴러갔습니다./
훌라후프를 몇 바퀴 굴린 것인지 구해 보세요./ (원주율: 3)

😊 **대표 문제 따라 풀기**

❶

❷

답 _____

원주 · 원의 넓이 구하기

○ 연계학습 111쪽

대표 문제 2

넓이가 198.4 cm²인 원 모양의 와플이 있습니다. /
이 와플의 둘레를 구해 보세요. / (원주율: 3.1)

☺ **구하려는 것은?**

와플의 ☐

☺ **어떻게 풀까?**

1 (원의 넓이)=(반지름)×(반지름)×(원주율)을 이용하여 식을 세워
2 와플의 반지름과 지름을 구한 후
3 와플의 둘레(원주)를 구하자.

> 원주를 구하려면 **지름을 알아야** 해~

☺ **해결해 볼까?**

❶ 와플의 반지름을 ☐ cm라 하여 넓이를 구하는 식을 쓰면?

식 _____

❷ 와플의 반지름과 지름은 각각 몇 cm?

답 반지름: _____ , 지름: _____

❸ 와플의 둘레는 몇 cm?

전략 (원주)=(지름)×(원주율)

답 _____

쌍둥이 문제 2-1

넓이가 314 cm²인 원 모양의 시계가 있습니다. /
이 시계의 둘레는 몇 cm인가요? / (원주율: 3.14)

☺ **대표 문제 따라 풀기**

❶

❷

❸

답 _____

5

원의 넓이

{ 수학 사고력 키우기 }

😊 **일부를 옮겨서 색칠한 부분의 넓이 구하기**

연계학습 112쪽

대표 문제 3 오른쪽 도형에서 색칠한 부분의 넓이를 구해 보세요. /

(원주율: 3.14)

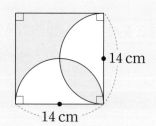

😊 **구하려는 것은?**

색칠한 부분의 ☐

😊 **어떻게 풀까?**

1 정사각형에 두 대각선을 긋고
2 색칠한 부분 중 일부분을 옮겨
   넓이를 구하기 쉬운 다른 도형으로 바꾸어 그린 후
3 바꾸어 그린 도형의 넓이를 구하자.

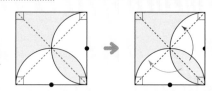

😊 **해결해 볼까?**

❶ 😊 **어떻게 풀까?** 를 이용하여 색칠한 부분을 다른 도형으로 바꾸어 그리면?

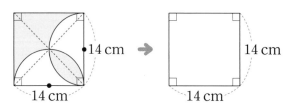

❷ 색칠한 부분의 넓이는 몇 cm^2?

〔전략〕 (삼각형의 넓이)=(밑변의 길이)×(높이)÷2

답 _____

쌍둥이 문제 3-1

오른쪽 도형에서 색칠한 부분의 넓이는 몇 cm^2인가요? /

(원주율: 3)

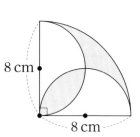

😊 **대표 문제 따라 풀기**

❶ 색칠한 부분을 다른 도형으로 바꾸어 그리기:

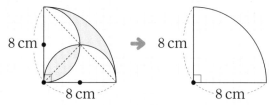

❷

답 _____

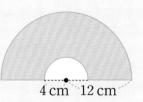

🐱 원의 넓이를 이용하여 색칠한 부분의 넓이 구하기

ⓒ 연계학습 113쪽

대표 문제 4 전통 부채를 만들기 위해 한지를 오른쪽과 같이 오렸습니다./
오린 한지의 넓이를 구해 보세요./ (원주율: 3)

😊 **구하려는 것은?**   오린 한지의 [   ]

🙂 **어떻게 풀까?**

반지름이   반지름이   오린 한지의
12 cm인 반원   4 cm인 반원   넓이

😊 **해결해 볼까?**

❶ 반지름이 12 cm인 반원의 넓이는 몇 cm²?

답 _____

❷ 반지름이 4 cm인 반원의 넓이는 몇 cm²?

답 _____

❸ 오린 한지의 넓이는 몇 cm²?

답 _____

5

원의 넓이

119

쌍둥이 문제 4-1

종이를 오른쪽과 같이 오렸습니다./
오린 종이의 넓이는 몇 cm²인가요?/ (원주율: 3)

😊 **대표 문제 따라 풀기**

❶

❷

❸

답 _____

{ 수학 사고력 키우기 }

😊 색칠한 부분의 둘레 구하기

🟢 연계학습 114쪽

대표 문제 ⑤　오른쪽 도형은 정사각형 안에 원의 일부를 그린 것입니다./ 색칠한 부분의 둘레를 구해 보세요./ (원주율: 3)

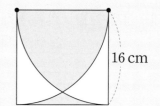

16 cm

😊 **구하려는 것은?**

색칠한 부분의 ☐

😊 **어떻게 풀까?**

색칠한 부분을 둘러싸고 있는 **직선 부분과 곡선 부분으로 나누어** 생각하자.

😊 **해결해 볼까?**

❶ 색칠한 부분에서 직선 부분의 길이의 합은 몇 cm?

답

❷ 색칠한 부분에서 곡선 부분의 길이의 합은 몇 cm?

전략  의 길이의 합을 구하자.

답

❸ 색칠한 부분의 둘레는 몇 cm?

답 _____

쌍둥이 문제 5-1

오른쪽 도형은 정사각형 안에 원의 일부를 그린 것입니다./ 색칠한 부분의 둘레는 몇 cm인가요?/ (원주율: 3)

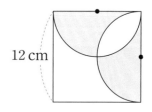

12 cm

😊 **대표 문제 따라 풀기**

❶

❷

❸

답 _____

원의 일부와 선분으로 이루어진 도형의 둘레 구하기

ⓒ 연계학습 115쪽

대표 문제 6

윗면이 지름 8 cm인 원 모양으로 되어 있는 통조림통이 있습니다. / 이 통조림통 3개를 오른쪽과 같이 끈으로 겹치지 않게 한 번 둘렀을 때 / 사용한 끈의 길이를 구해 보세요. / (단, 원주율은 3.1이고 매듭의 길이는 생각하지 않습니다.)

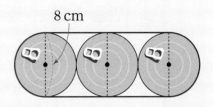

8 cm

😊 **어떻게 풀까?**

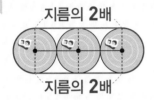

지름의 **2**배

지름의 **2**배

😊 **해결해 볼까?**

❶ 사용한 끈 중 직선 부분의 길이의 합은 몇 cm?

전략 ▷ 직선 부분의 길이의 합은 지름의 몇 배인지 알아보자.

답 _____

❷ 사용한 끈 중 곡선 부분의 길이의 합은 몇 cm?

전략 ▷ 곡선 부분을 모으면 지름이 8 cm인 원이 된다.

답 _____

❸ 사용한 끈의 길이는 몇 cm?

답 _____

5

원의 넓이

121

쌍둥이 문제 6-1

바닥면이 지름 15 cm인 원 모양으로 되어 있는 통이 있습니다. / 이 통 4개를 오른쪽과 같이 끈으로 겹치지 않게 한 번 둘렀을 때 / 사용한 끈의 길이는 몇 cm인가요? / (단, 원주율은 3이고 매듭의 길이는 생각하지 않습니다.)

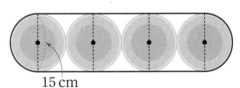

15 cm

😊 **대표 문제 따라 풀기**

❶

❷

❸

답 _____

😊 만들 수 있는 가장 큰 원의 넓이 구하기

독해 문제 1

오른쪽 직사각형 모양의 종이를 잘라 만들 수 있는/ 가장 큰 원의 넓이를 구해 보세요./ (원주율: 3.1)

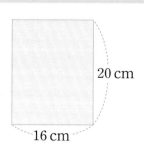

20 cm

16 cm

😊 **해결해 볼까?** ❶ 만들 수 있는 가장 큰 원의 지름은 몇 cm?

전략 ▷ 직사각형의 가로와 세로 중 더 짧은 길이가 가장 큰 원의 지름이 된다.

답 _____

❷ 만들 수 있는 가장 큰 원의 넓이는 몇 cm²?

답 _____

😊 원의 크기 비교하기

독해 문제 2

원의 크기가 가장 작은 것을 찾아 기호를 써 보세요./ (원주율: 3)

> ㉠ 지름이 20 cm인 원
> ㉡ 원주가 57 cm인 원
> ㉢ 넓이가 363 cm²인 원

😊 **해결해 볼까?** ❶ 알맞은 말에 ○표 하기

> 지름이 (길수록 , 짧을수록) 작은 원이다.

❷ 세 원의 지름은 각각 몇 cm?

답 ㉠: _____ , ㉡: _____ , ㉢: _____

❸ 원의 크기가 가장 작은 것을 찾아 기호를 쓰면?

답 _____

지름과 원주의 관계 이용하기

독해 문제 3

오른쪽 그림과 같이 원 모양의 쟁반과 접시가 있습니다. /
쟁반의 지름은 접시의 지름의 3배입니다. /
접시의 원주가 31.4 cm일 때 /
쟁반의 원주를 구해 보세요. / (원주율: 3.14)

쟁반   접시

해결해 볼까? ❶ 쟁반의 원주는 접시의 원주의 몇 배?

전략 원의 지름이 ▢배이면 원주도 ▢배가 된다.

답 _____

❷ 쟁반의 원주는 몇 cm?

답 _____

과녁판의 넓이 구하기

독해 문제 4

오른쪽 과녁판은 가장 작은 원의 반지름이 4 cm이고 /
반지름이 2 cm씩 커지도록 만든 것입니다. /
과녁판에서 8점을 얻을 수 있는 부분의 넓이를 구해 보세요. /

(원주율: 3)

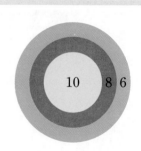

10   8 6

해결해 볼까? ❶ 8점 이상을 얻을 수 있는 부분의 넓이는 몇 cm²?

전략 노란색과 빨간색 부분이 합쳐진 원의 넓이를 구하자.

답 _____

❷ 10점을 얻을 수 있는 부분의 넓이는 몇 cm²?

전략 가장 작은 노란색 원의 넓이를 구하자.

답 _____

❸ 8점을 얻을 수 있는 부분의 넓이는 몇 cm²?

전략 (❶에서 구한 넓이)−(❷에서 구한 넓이)

답 _____

😊 **원의 넓이를 이용하여 색칠한 부분의 넓이 구하기**   ⓒ 연계학습 119쪽

독해 문제 5

정사각형 안에 원의 일부를 그린 것입니다. /
색칠한 부분의 넓이를 구해 보세요. / (원주율: 3.1)

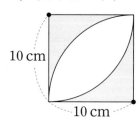

😊 **구하려는 것은?**   색칠한 부분의 ☐

😊 **어떻게 풀까?**   **색칠한 부분을 두 부분으로 나누어 생각하자.**

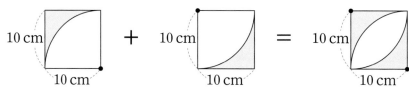

😊 **해결해 볼까?**

❶ 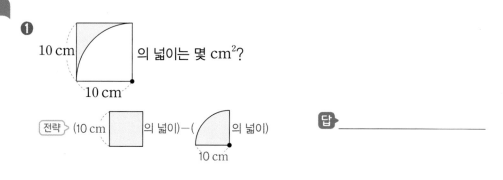 의 넓이는 몇 cm²?

전략 (10 cm ☐의 넓이) − (의 넓이)
10 cm

답 _____

❷ 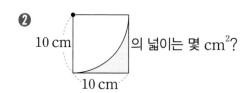 의 넓이는 몇 cm²?

답 _____

❸ 색칠한 부분의 넓이는 몇 cm²?

답 _____

원의 일부와 선분으로 이루어진 도형의 둘레 구하기

연계학습 121쪽

독해 문제 6

윗면이 지름 6 cm인 원 모양으로 되어 있는 통조림통이 있습니다. /
이 통조림통 4개를 다음과 같이 끈으로 겹치지 않게 한 번 둘렀을 때 /
사용한 끈의 길이를 구해 보세요. /
(단, 원주율은 3.14이고 매듭의 길이는 생각하지 않습니다.)

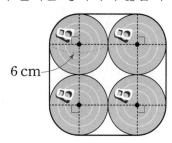

6 cm

구하려는 것은? 사용한 끈의 [ ]

어떻게 풀까?

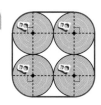

1 직선 부분의 길이의 합을 구하고,
2 곡선 부분의 길이의 합을 구한 후,
3 1과 2에서 구한 두 길이의 합을 더하자.

해결해 볼까?

❶ 사용한 끈 중 직선 부분의 길이의 합은 몇 cm?

전략 ▷ 직선 부분의 길이의 합은 지름의 몇 배인지 알아보자. 답

❷ 사용한 끈 중 곡선 부분의 길이의 합은 몇 cm?

곡선 부분을 모으면 지름이 [ ] cm인 원이 된다.

답

❸ 사용한 끈의 길이는 몇 cm?

답

5

원의 넓이

125

{ 창의·융합·코딩 체험하기 }

융합 1 컴퍼스의 침과 연필심 사이의 간격이 9 cm가 되도록 벌려서 원을 그렸습니다./
그린 원의 둘레는 몇 cm인가요?/ (원주율: 3.14)

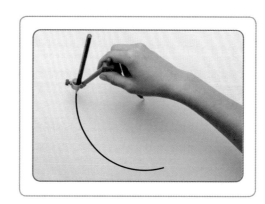

답 _____

창의 2 재영이는 바퀴의 지름이 30 cm인 외발자전거를 타고 있습니다./
외발자전거의 페달을 한 번 돌리면/ 바퀴가 한 바퀴 굴러갑니다./
외발자전거를 타고 930 cm만큼 가려면/ 페달을 몇 번 돌려야 하나요?/ (원주율: 3.1)

·········· 930 cm ··········

답 _____

창의 **3** 가로가 15 m이고 세로가 6 m인 직사각형 모양의 흰색 벽을/
하늘색 페인트를 사용하여 다음과 같이 칠하려고 합니다./
페인트 한 통으로 10 m²만큼 칠할 수 있을 때,/
필요한 하늘색 페인트는 몇 통인가요?/(원주율: 3)

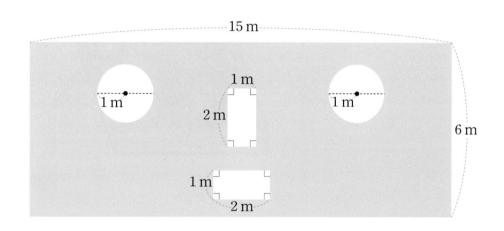

(1) 직사각형 모양 벽의 넓이는 몇 m²인가요?

답 _____

(2) 직사각형 모양의 벽 중 하늘색 페인트를 칠하지 않는 부분의 넓이의 합은 몇 m²인가요?

답 _____

(3) 직사각형 모양의 벽 중 하늘색 페인트를 칠하는 부분의 넓이는 몇 m²인가요?

답 _____

(4) 필요한 하늘색 페인트는 몇 통인가요?

답 _____

창의 **4** 도넛 가게에서 밑면이 정사각형인 사각기둥 모양의 상자에/
똑같은 크기의 도넛을 9개 담아 포장하려고 합니다./
도넛 한 개의 원주가 21.98 cm일 때/
상자 밑면의 한 변의 길이는 몇 cm 이상이어야 하나요?/ (원주율: 3.14)

답 _____

원의 넓이

코딩 **5** 기차가 다음과 같은 모양의 트랙을 따라 돌고 있습니다./
기차가 트랙을 한 바퀴 도는 동안/ 다음 명령을 실행하였을 때 울린 기적 소리는 몇 번인가요?/
(단, 원주율은 3이고 트랙의 두께는 생각하지 않습니다.)

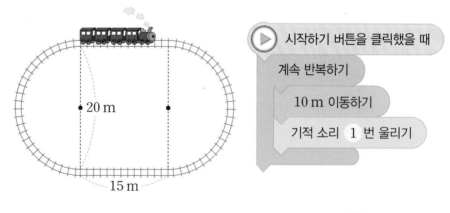

답 _____

로봇은 다음 명령을 실행하며 원의 둘레를 따라 움직입니다.
로봇이 다음 원을 한 바퀴 도는 데 걸리는 시간은 몇 초인가요? (원주율: 3)

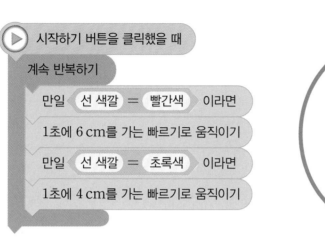

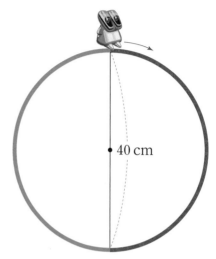

40 cm

(1) 원에서 빨간색 선과 초록색 선의 길이는 각각 몇 cm인가요?

답 빨간색 선: _____ , 초록색 선: _____

(2) 로봇이 원의 빨간색 선과 초록색 선을 따라 도는 데 걸리는 시간은 각각 몇 초인가요?

답 빨간색 선: _____ , 초록색 선: _____

(3) 로봇이 위의 원을 한 바퀴 도는 데 걸리는 시간은 몇 초인가요?

답

원의 넓이

5

129

원주를 이용하여 반지름 구하기

1 원주가 37.2 cm인 원의 반지름은 몇 cm인가요? (원주율: 3.1)

풀이▶

답▶ _____

굴러간 거리 · 바퀴 수 구하기 110쪽

2 지름이 70 cm인 원 모양의 훌라후프를 5바퀴 반 굴렸습니다. 훌라후프가 굴러간 거리는 몇 cm인가요? (원주율: 3)

풀이▶

답▶ _____

만들 수 있는 가장 큰 원의 넓이 구하기 122쪽

3 오른쪽 직사각형 모양의 종이를 잘라 만들 수 있는 가장 큰 원의 넓이는 몇 cm²인가요? (원주율: 3.1)

풀이▶

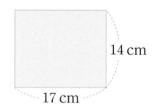

14 cm

17 cm

답▶ _____

지름과 원주의 관계 이용하기 ↻123쪽

4 오른쪽 원 모양의 바퀴가 2개 있습니다. 큰 바퀴의 지름은 작은 바퀴 지름의 4배입니다. 작은 바퀴의 원주가 12.56 cm라면 큰 바퀴의 원주는 몇 cm인가요? (원주율: 3.14)

풀이▶

답 _____

원의 크기 비교하기 ↻122쪽

5 원의 크기가 더 큰 것을 찾아 기호를 써 보세요. (원주율: 3.1)

> ㉠ 원주가 46.5 cm인 원
> ㉡ 넓이가 198.4 cm²인 원

풀이▶

답 _____

원주ㆍ원의 넓이 구하기 ↻117쪽

6 넓이가 78.5 cm²인 원 모양의 거울이 있습니다. 이 거울의 둘레는 몇 cm인가요? (원주율: 3.14)

풀이▶

답 _____

5

원의 넓이

131

일부를 옮겨서 색칠한 부분의 넓이 구하기 ⌒118쪽

7 색칠한 부분의 넓이는 몇 cm²인가요? (원주율: 3.14)

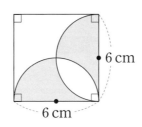

풀이▶ ❶ 색칠한 부분을 다른 도형으로 바꾸어 그리기:

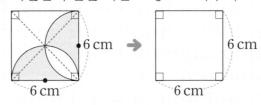

❷

답 _____

원의 일부와 선분으로 이루어진 도형의 둘레 구하기 ⌒115쪽

8 도형의 둘레는 몇 cm인가요? (원주율: 3)

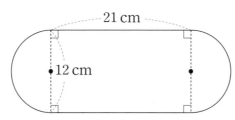

풀이▶

답 _____

원의 넓이를 이용하여 색칠한 부분의 넓이 구하기 🔖119쪽

9 종이를 그림과 같이 오렸습니다. 오린 종이의 넓이는 몇 cm²인가요? (원주율: 3)

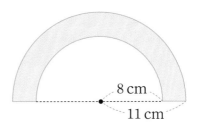

8 cm
11 cm

💬풀이

답 _____

색칠한 부분의 둘레 구하기 🔖120쪽

10 도형은 정사각형 안에 원의 일부를 그린 것입니다. 색칠한 부분의 둘레는 몇 cm인가요?

(원주율: 3)

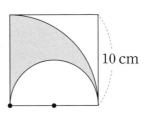

10 cm

💬풀이

답 _____

6 원기둥, 원뿔, 구

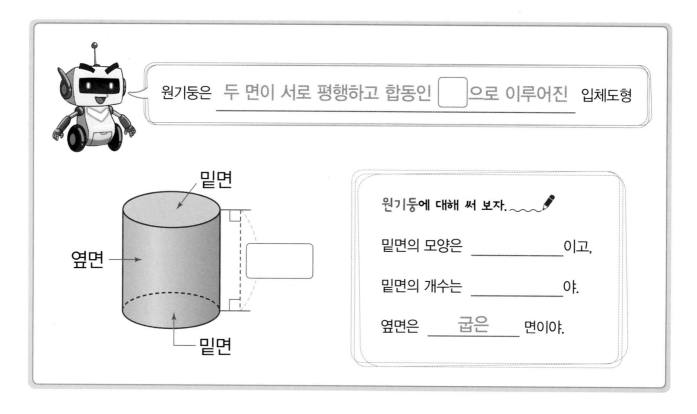

원기둥은 두 면이 서로 평행하고 합동인 ☐ 으로 이루어진 입체도형

밑면

옆면

밑면

원기둥에 대해 써 보자. ✎

밑면의 모양은 _____이고,

밑면의 개수는 _____야.

옆면은 ___ 굽은 ___ 면이야.

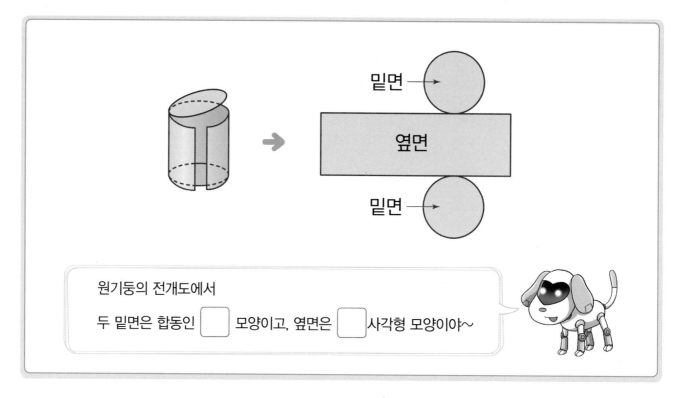

밑면

옆면

밑면

원기둥의 전개도에서

두 밑면은 합동인 ☐ 모양이고, 옆면은 ☐ 사각형 모양이야~

원뿔은 원 모양의 평평한 면이 ☐ 개인 뾰족한 뿔 모양의 입체도형

원뿔의 꼭짓점

높이

옆면

밑면

원뿔에 대해 써 보자. ✏

밑면의 모양은 _____이고,

밑면의 개수는 _____야.

옆면은 ___ 굽은 ___ 면이야.

구의 중심   구의 ☐ 지름

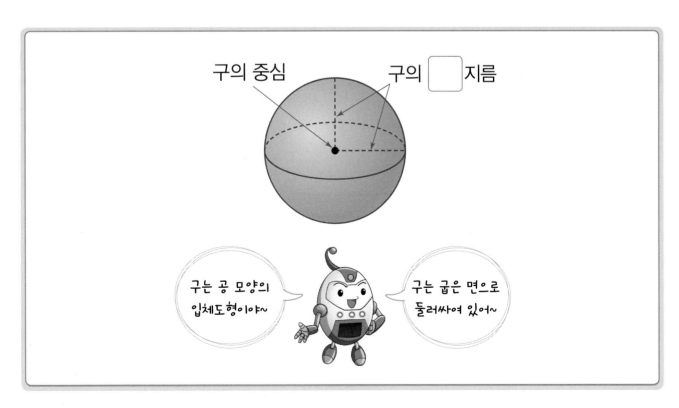

구는 공 모양의
입체도형이야~

구는 굽은 면으로
둘러싸여 있어~

{ 문제 해결력 기르기 }

① 종이를 돌려 만든 입체도형

선행 문제 해결 전략

예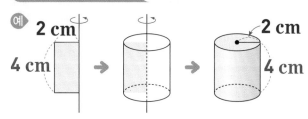

(직사각형의 가로)＝(원기둥의 밑면의 반지름)
(직사각형의 세로)＝(원기둥의 높이)

예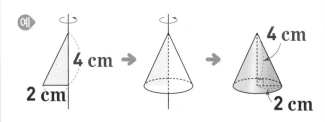

(직각삼각형의 밑변의 길이)
＝(원뿔의 밑면의 반지름)
(직각삼각형의 높이)＝(원뿔의 높이)

선행 문제 ①

직사각형 모양의 종이를 한 변을 기준으로 돌려 만든 입체도형의 밑면의 지름은 몇 cm인지 구해 보세요.

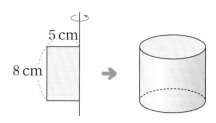

풀이 만든 입체도형의 이름: [　　　　]

(밑면의 지름)
＝(직사각형의 가로)×2
＝[　]×2＝[　]　(cm)

실행 문제 ①

직사각형 모양의 종이를/
한 변을 기준으로 돌려
만든 입체도형의/
한 밑면의 둘레는 몇 cm
인가요?/ (원주율: 3)

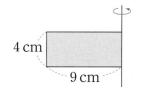

❶ 만든 입체도형의 이름: [　　　　]

전략 직사각형의 가로는 밑면의 반지름이 된다.

❷ (밑면의 지름)＝[　]×2＝[　]　(cm)

전략 (밑면의 지름)×(원주율)

❸ (한 밑면의 둘레)＝[　]×3＝[　]　(cm)

답 ＿＿＿＿＿＿＿＿＿＿

쌍둥이 문제 1-1

직각삼각형 모양의 종이를/
한 변을 기준으로 돌려
만든 입체도형의/
밑면의 둘레는 몇 cm인가요?/
(원주율: 3)

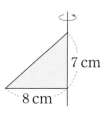

실행 문제 따라 풀기

❶

❷

❸

답 ＿＿＿＿＿＿＿＿＿＿

② 입체도형을 앞에서 본 모양

선행 문제 해결 전략

입체도형을 앞에서 본 모양은
그림처럼 잘랐을 때 단면의 모양과 같다.

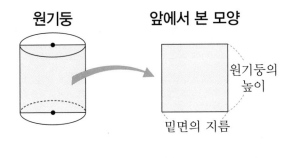

원기둥 　　　앞에서 본 모양

원기둥의
높이

밑면의 지름

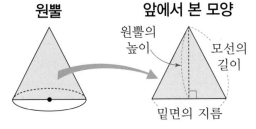

원뿔 　　　앞에서 본 모양

원뿔의
높이

모선의
길이

밑면의 지름

선행 문제 ②

입체도형을 앞에서 본 모양을 그린 것입니다. ◯
안에 알맞은 수를 써넣으세요.

(1)
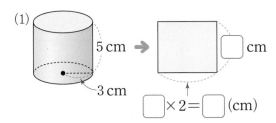

5 cm ➡ ☐ cm

3 cm

☐ × 2 = ☐ (cm)

(2)
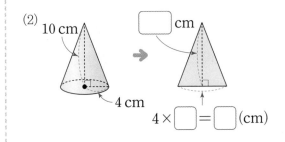

10 cm

4 cm

☐ cm

4 × ☐ = ☐ (cm)

실행 문제 ②

오른쪽 원뿔을/
앞에서 본 모양의 넓이는
몇 cm²인가요?

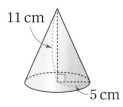

11 cm

5 cm

전략 ▷ 앞에서 본 모양을 그리고 밑변의 길이와 높이를 표시하자.

❶ 앞에서 본 모양 그리기:

전략 ▷ (삼각형의 넓이)=(밑변의 길이)×(높이)÷2

❷ (앞에서 본 모양의 넓이)

= ☐ × ☐ ÷ 2 = ☐ (cm²)

 답 ＿＿＿＿＿＿＿

쌍둥이 문제 2-1

오른쪽 원뿔을/
앞에서 본 모양의 넓이는
몇 cm²인가요?

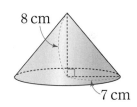

8 cm

7 cm

실행 문제 따라 풀기

❶

❷

답 ＿＿＿＿＿＿＿

{ 문제 **해결력** 기르기 }

③ 원기둥의 전개도에서 길이 구하기

선행 문제 해결 전략

• 원기둥의 전개도에서 각 부분의 길이 알아보기

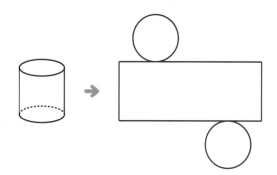

(한 밑면의 둘레)=(전개도에서 옆면의 가로)
(원기둥의 높이)=(전개도에서 옆면의 세로)

선행 문제 ③

원기둥의 전개도입니다. ㉠의 길이는 몇 cm인가요? (원주율: 3.1)

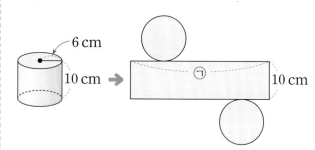

풀이 ㉠=(한 밑면의 둘레)

=(밑면의 반지름)×2×(원주율)

=☐×2×3.1

=☐(cm)

실행 문제 ③

원기둥의 전개도에서/
옆면의 둘레는 몇 cm인가요?/ (원주율: 3.1)

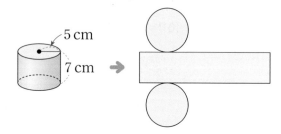

전략 (밑면의 반지름)×2×(원주율)

❶ (옆면의 가로)

=☐×2×3.1=☐(cm)

전략 옆면의 세로는 원기둥의 높이와 같다.

❷ (옆면의 세로)=☐cm

전략 (직사각형의 둘레)=((가로)+(세로))×2

❸ (옆면의 둘레)

=(☐+☐)×2=☐(cm)

답 _____

쌍둥이 문제 3-1

원기둥의 전개도에서/
옆면의 둘레는 몇 cm인가요?/ (원주율: 3)

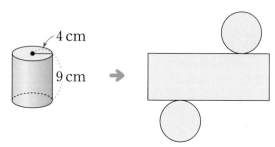

실행 문제 따라 풀기

❶

❷

❸

답 _____

④ 원기둥의 옆면의 넓이 구하기

• 원기둥의 옆면의 넓이 구하기 (원주율: 3)

옆면의 넓이를 구할 때에는 **옆면을 펼쳐서** 생각해 보자.

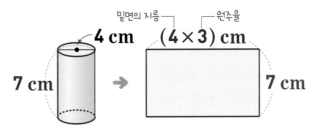

밑면의 지름 **4 cm** → 원주율 **(4 × 3) cm**

7 cm → **7 cm**

(옆면의 넓이)
= (옆면의 가로) × (옆면의 세로)
= **12 × 7 = 84 (cm²)**

선행 문제 ④

원기둥의 옆면의 넓이는 몇 cm²인가요? (원주율: 3)

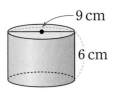
9 cm
6 cm

풀이 옆면을 펼쳐서 그리기:

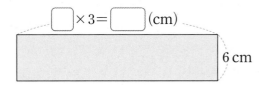
☐ × 3 = ☐ (cm)
6 cm

→ (옆면의 넓이)
= (옆면의 가로) × (옆면의 세로)
= ☐ × ☐ = ☐ (cm²)

실행 문제 ④

원기둥 모양 통의 옆면에 /
겹치는 부분이 없게 포장지를 붙였습니다. /
붙인 포장지의 넓이는 몇 cm²인가요? / (원주율: 3.1)

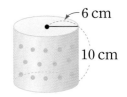
6 cm
10 cm

전략 (옆면의 가로) = (밑면의 반지름) × 2 × (원주율)

❶ 붙인 포장지를 펼쳐서 그리기:

☐ × 2 × ☐ = ☐ (cm)
10 cm

❷ (붙인 포장지의 넓이)
= ☐ × 10 = ☐ (cm²)

답 _____

쌍둥이 문제 4-1

원기둥 모양 통의 옆면에 /
겹치는 부분이 없게 종이를 붙였습니다. /
붙인 종이의 넓이는 몇 cm²인가요? / (원주율: 3)

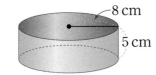
8 cm
5 cm

실행 문제 **따라 풀기**

❶

❷

답 _____

{ 문제 해결력 기르기 }

⑤ 조건을 만족하는 원기둥 알아보기

선행 문제 해결 전략

예 [조건]을 모두 만족하는 원기둥 알아보기

[조건]
① 위에서 본 모양 ➡ 지름이 5 cm인 원
② 앞에서 본 모양 ➡ 정사각형

조건을 만족하는 원기둥을 알아볼 때에는 **조건에 따라 그림을 그려 보자.**

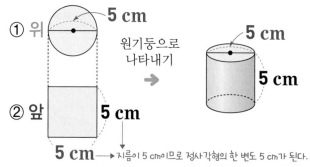

① 위 — 5 cm
원기둥으로 나타내기 ➡
5 cm
5 cm

② 앞 5 cm
5 cm → 지름이 5 cm이므로 정사각형의 한 변도 5 cm가 된다.

선행 문제 ⑤

[조건]을 모두 만족하는 원기둥의 높이는 몇 cm인 가요?

[조건]
• 위에서 본 모양은 지름이 6 cm인 원입니다.
• 앞에서 본 모양은 정사각형입니다.

풀이 조건을 그림으로 그려서 알아본다.

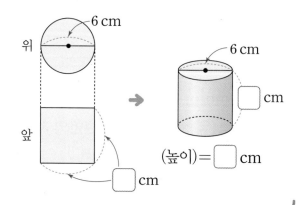

위 — 6 cm
앞
□ cm

➡ 6 cm
□ cm

(높이)=□ cm

실행 문제 ⑤

[조건]을 모두 만족하는
원기둥의 높이는 몇 cm인가요?

[조건]
• 위에서 본 모양은 반지름이 8 cm인 원입니다.
• 앞에서 본 모양은 정사각형입니다.

전략 조건을 그림으로 그려서 원기둥을 알아보자.

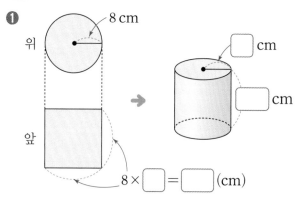

❶ 위 — 8 cm
앞

□ cm
□ cm

8 × □ = □ (cm)

❷ (원기둥의 높이)=□ cm

답 _____

쌍둥이 문제 ⑤-1

[조건]을 모두 만족하는
원기둥의 밑면의 반지름은 몇 cm인가요?

[조건]
• 위에서 본 모양은 원입니다.
• 앞에서 본 모양은 한 변의 길이가 12 cm인 정사각형입니다.

실행 문제 따라 풀기

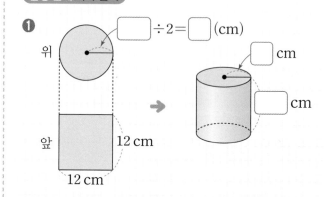

❶ 위 — □ ÷ 2 = □ (cm)
앞 12 cm
12 cm

□ cm
□ cm

❷

답 _____

⑥ 원기둥의 옆면의 넓이를 이용하여 길이 구하기

선행 문제 해결 전략

예 원기둥의 전개도를 보고 밑면의 지름 구하기

(원주율: 3)

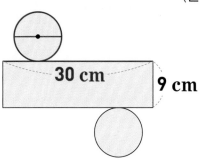

30 cm

9 cm

(한 밑면의 둘레)＝(옆면의 가로)
＝30 cm

(밑면의 지름)＝(한 밑면의 둘레)÷(원주율)
＝30÷3
＝10 (cm)

선행 문제 ⑥

원기둥의 전개도입니다. 밑면의 지름은 몇 cm인
가요? (원주율: 3.14)

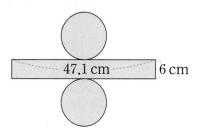

47.1 cm   6 cm

풀이 (한 밑면의 둘레)＝(옆면의 가로)
＝ ☐ cm

(밑면의 지름)＝(한 밑면의 둘레)÷(원주율)
＝ ☐ ÷3.14＝ ☐ (cm)

실행 문제 ⑥

원기둥의 전개도에서
옆면의 넓이는 93 cm²입니다./
밑면의 지름은 몇 cm인가요?/ (원주율: 3.1)

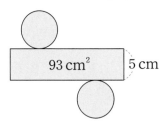

93 cm²   5 cm

전략 (옆면의 가로)＝(옆면의 넓이)÷(옆면의 세로)

❶ (한 밑면의 둘레)
＝(옆면의 가로)
＝ ☐ ÷5＝ ☐ (cm)

전략 (밑면의 지름)＝(한 밑면의 둘레)÷(원주율)

❷ (밑면의 지름)
＝ ☐ ÷3.1＝ ☐ (cm)

답 _____

쌍둥이 문제 6-1

원기둥의 전개도에서
옆면의 넓이는 144 cm²입니다./
밑면의 지름은 몇 cm인가요?/ (원주율: 3)

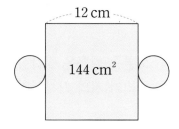

12 cm

144 cm²

실행 문제 따라 풀기

❶

❷

답 _____

{ 수학 사고력 키우기 }

😃 **종이를 돌려 만든 입체도형**

ⓒ 연계학습 136쪽

대표 문제 1 오른쪽 구는 반원 모양의 종이를 돌려 만든 것입니다./
돌리기 전의 반원 모양 종이의 넓이를 구해 보세요./ (원주율: 3)

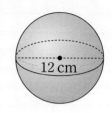

12 cm

😃 **구하려는 것은?** 돌리기 전의 반원 모양 종이의 넓이

🐻 **어떻게 풀까?** 반원 모양의 종이를 지름을 기준으로 돌리면 구가 만들어진다.

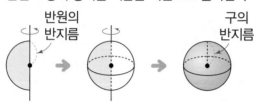
반원의 반지름 / 구의 반지름

(반원의 반지름)=(구의 반지름)

😃 **해결해 볼까?**

❶ 돌리기 전의 반원 모양을 그리면?

전략 ▷ 돌리기 전의 반원 모양의 지름은 구의 지름과 같다.

답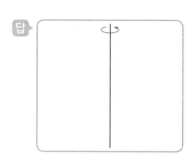

❷ 반원 모양 종이의 넓이는 몇 cm²?

답

쌍둥이 문제 1-1 오른쪽 원뿔은 직각삼각형 모양의 종이를 돌려 만든 것입니다./
돌리기 전의 직각삼각형 모양 종이의 넓이는 몇 cm²인가요?

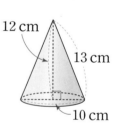
12 cm
13 cm
10 cm

😃 **대표 문제 따라 풀기**

❶ 돌리기 전의 직각삼각형 모양 그리기:

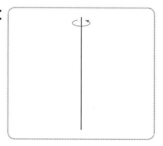

❷

답

입체도형을 앞에서 본 모양

연계학습 137쪽

대표 문제 2 오른쪽 원기둥을 앞에서 본 모양의 둘레가 42 cm일 때/
밑면의 반지름을 구해 보세요.

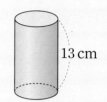
13 cm

😊 **구하려는 것은?**   원기둥의 밑면의 반지름

😊 **어떻게 풀까?**

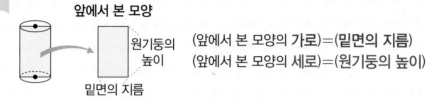

앞에서 본 모양

원기둥의 높이

밑면의 지름

(앞에서 본 모양의 **가로**)=(밑면의 지름)
(앞에서 본 모양의 **세로**)=(원기둥의 높이)

😊 **해결해 볼까?**

❶ 앞에서 본 모양을 그리고, 세로의 길이를 나타내면?

전략 > 앞에서 본 모양의 세로는 원기둥의 높이와 같다.

답

❷ 앞에서 본 모양의 가로는 몇 cm?

전략 > ❶에서 그린 모양의 둘레가 42 cm임을 이용하여
가로의 길이를 구하자.

답

❸ 원기둥의 밑면의 반지름은?

답

쌍둥이 문제 2-1 오른쪽 원기둥을 앞에서 본 모양의 둘레가 50 cm일 때/
밑면의 반지름은 몇 cm인가요?

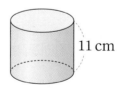
11 cm

😊 **대표 문제 따라 풀기**

❶

❷

❸

답

6

원기둥, 원뿔, 구

{ 수학 사고력 키우기 }

원기둥의 전개도에서 길이 구하기

연계학습 138쪽

대표 문제 3

오른쪽은 원기둥과 원기둥의 전개도입니다./
전개도의 둘레를 구해 보세요./ (원주율: 3.1)

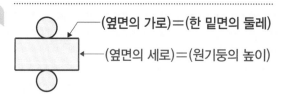

😊 **구하려는 것은?**

원기둥의 전개도의 둘레

😊 **어떻게 풀까?**

(옆면의 가로)＝(한 밑면의 둘레)
(옆면의 세로)＝(원기둥의 높이)

(전개도의 둘레)＝(한 밑면의 둘레)×4＋(원기둥의 높이)×2

😊 **해결해 볼까?**

❶ 한 밑면의 둘레는 몇 cm?

답 _____

❷ 원기둥의 높이는 몇 cm?

답 _____

❸ 전개도의 둘레는 몇 cm?

전략〉(한 밑면의 둘레)×4＋(원기둥의 높이)×2

답 _____

6 원기둥, 원뿔, 구

쌍둥이 문제 3-1

오른쪽은 원기둥과 원기둥의 전개도입니다./
전개도의 둘레는 몇 cm인가요?/

(원주율: 3)

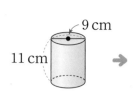
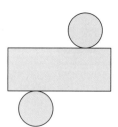

😊 **대표 문제 따라 풀기**

❶

❷

❸

답 _____

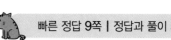

원기둥의 옆면의 넓이 구하기

ⓒ 연계학습 139쪽

대표 문제 ④ 오른쪽 원기둥 모양의 롤러에 페인트를 묻힌 후/
3바퀴를 굴렸습니다./
페인트가 칠해진 부분의 넓이를 구해 보세요./
(원주율: 3)

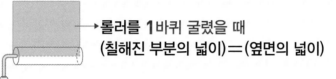

😊 **구하려는 것은?** 페인트가 칠해진 부분의 넓이

😊 **어떻게 풀까?**

 롤러를 **1**바퀴 굴렸을 때
(칠해진 부분의 넓이)=(옆면의 넓이)

😊 **해결해 볼까?**

❶ 롤러의 옆면의 넓이는 몇 cm²?

답 _____

❷ 롤러를 3바퀴 굴렸을 때 페인트가 칠해진 부분의 넓이는 몇 cm²?

전략 (❶에서 구한 넓이)×3을 구하자.

답 _____

쌍둥이 문제
4-1

오른쪽 원기둥 모양의 롤러에 페인트를 묻힌 후/
2바퀴를 굴렸습니다./
페인트가 칠해진 부분의 넓이는 몇 cm²인가요?/ (원주율: 3.1)

😊 **대표 문제 따라 풀기**

❶

❷

답 _____

6

원기둥, 원뿔, 구

145

조건을 만족하는 원기둥 알아보기

○ 연계학습 140쪽

대표 문제 5 〔조건〕을 모두 만족하는 원기둥의 높이를 구해 보세요. / (원주율: 3)

〔조건〕
- 전개도에서 옆면의 둘레는 56 cm입니다.
- 원기둥의 높이와 밑면의 지름은 같습니다.

어떻게 풀까?

전개도를 그리고 모르는 길이를 □를 사용하여 나타낸 후
옆면의 둘레가 56 cm임을 이용하여 구하자.

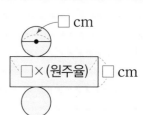

해결해 볼까?

❶ 원기둥의 밑면의 지름을 □ cm라 할 때 전개도에서 옆면의 가로를 □를 사용한 식으로 쓰면?

〔전략〕 (옆면의 가로)＝(밑면의 지름)×(원주율)   **식** _____

❷ □를 사용하여 전개도에서 옆면의 둘레를 구하는 식을 쓰면?

〔전략〕 ((옆면의 가로)＋(옆면의 세로))×2＝(옆면의 둘레)   **식** _____

❸ 원기둥의 높이는 몇 cm?

답 _____

쌍둥이 문제 5-1

〔조건〕을 만족하는 원기둥의 높이는 몇 cm인가요? / (원주율: 3)

〔조건〕
- 전개도에서 옆면의 둘레는 88 cm입니다.
- 원기둥의 높이와 밑면의 지름은 같습니다.

대표 문제 따라 풀기

❶

❷

❸

답 _____

원기둥의 옆면의 넓이를 이용하여 길이 구하기

C 연계학습 141쪽

대표 문제 6 오른쪽 원기둥의 옆면의 넓이는 837 cm²입니다. /
밑면의 반지름을 구해 보세요. / (원주율: 3.1)

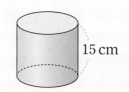

어떻게 풀까? 원기둥의 전개도에서 '한 밑면의 둘레는 옆면의 가로와 같다'는 것을 이용하여 구하자.

해결해 볼까?

❶ 원기둥의 전개도에서 ◯ 안에 알맞은 수를 써넣으면?

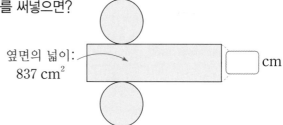

❷ 한 밑면의 둘레는 몇 cm?

전략 > ❶의 원기둥의 전개도에서 옆면의 가로의 길이를 구하자.

답 _____

❸ 밑면의 반지름은 몇 cm?

답 _____

쌍둥이 문제 6-1

오른쪽 원기둥의 옆면의 넓이는 630 cm²입니다. /
밑면의 반지름은 몇 cm인가요? / (원주율: 3)

대표 문제 따라 풀기

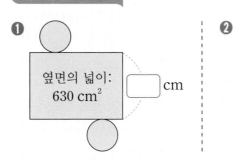

❷

❸

답 _____

원기둥, 원뿔, 구

{ 수학 독해력 완성하기 }

☺ 원뿔의 구성 요소

독해 문제 1

오른쪽 원뿔의 밑면의 반지름은 8 cm,
높이는 15 cm, 모선의 길이는 17 cm입니다. /
삼각형 ㄱㄴㄷ의 둘레를 구해 보세요.

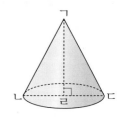

해결해 볼까? ❶ ◯ 안에 알맞은 수를 써넣으면?

전략 ▷ 변 ㄱㄴ, 변 ㄱㄷ, 변 ㄴㄷ의 길이가 각각 원뿔의
어느 부분과 길이가 같은지 알아보자.

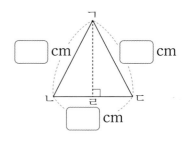

❷ 삼각형 ㄱㄴㄷ의 둘레는 몇 cm?

답 _____

☺ 구를 잘랐을 때 나오는 원의 넓이

독해 문제 2

오른쪽 구를 잘랐을 때 나올 수 있는 원 중에서 /
가장 큰 원의 넓이를 구해 보세요. / (원주율: 3.1)

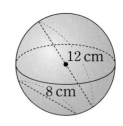

해결해 볼까? ❶ 구를 잘랐을 때 나올 수 있는 원 중에서 가장 큰 원의 지름은 몇 cm?

답 _____

❷ 나올 수 있는 원 중에서 가장 큰 원의 넓이는 몇 cm²?

답 _____

원뿔을 위에서 본 모양의 넓이 구하기

독해 문제 3

앞에서 본 모양이 오른쪽과 같은 원뿔이 있습니다./
삼각형 ㄱㄴㄷ의 둘레가 34 cm일 때/
이 원뿔을 위에서 본 모양의 넓이를 구해 보세요./ (원주율: 3.1)

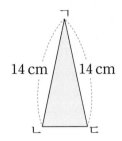

해결해 볼까?

❶ 삼각형 ㄱㄴㄷ에서 변 ㄴㄷ의 길이는 몇 cm?

답

❷ 원뿔의 밑면의 반지름은 몇 cm?

전략 ▷ (밑면의 지름)＝(변 ㄴㄷ의 길이)

답

❸ 원뿔을 위에서 본 모양의 넓이는 몇 cm²?

전략 ▷ 원뿔을 위에서 본 모양은 밑면의 모양과 같다.

답

원기둥의 전개도에서 모든 면의 넓이의 합 구하기

독해 문제 4

오른쪽 원기둥의 전개도에서/
모든 면의 넓이의 합을 구해 보세요./ (원주율: 3)

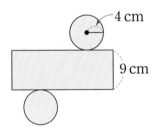

 해결해 볼까?

❶ 두 밑면의 넓이의 합은 몇 cm²?

답

❷ 옆면의 넓이는 몇 cm²?

답

❸ 원기둥의 전개도에서 모든 면의 넓이의 합은 몇 cm²?

답

{ 수학 독해력 완성하기 }

😊 원기둥의 전개도에서 길이 구하기

🔗 연계학습 144쪽

독해 문제 5

가로가 32 cm, 세로가 24 cm인 직사각형 모양 종이에 전개도를 그려/
원기둥 모양의 상자를 만들려고 합니다./
밑면의 반지름을 4 cm로 하여 최대한 높은 상자를 만들었을 때,/
만든 상자의 높이를 구해 보세요./ (원주율: 3)

😊 **구하려는 것은?** 최대한 높은 상자의 높이

🐻 **주어진 것은?**
- 종이의 가로: ☐ cm, 종이의 세로: ☐ cm
- 원기둥 모양 상자의 밑면의 반지름: ☐ cm

😊 **어떻게 풀까?** 직사각형 모양 종이에 밑면의 반지름이 4 cm인 원기둥의 전개도를 그릴 때
종이의 가로 또는 세로에 **전개도를 그리는 방향에 따라 원기둥의 높이가 달라진다.**

🐻 **해결해 볼까?**

❶ 원기둥의 전개도에서 한 밑면의 둘레는 몇 cm?

[전략] 밑면의 반지름이 4 cm이다.

답

❷ 최대한 높은 상자를 만들려면 직사각형 모양 종이에 원기둥의 전개도를 어떤 모양
으로 그려야 할지 ◯표 하기

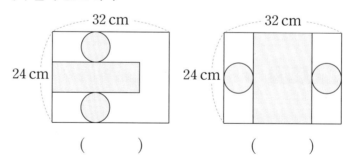

( )   ( )

❸ 최대한 높은 상자를 만들었을 때, 만든 상자의 높이는 몇 cm?

[전략] ❷에서 고른 원기둥의 전개도 모양에서
원기둥의 높이를 구하자.

답

원기둥의 옆면의 넓이를 이용하여 길이 구하기

ⓒ 연계학습 147쪽

독해 문제
6

오른쪽 원기둥 모양의 롤러에 페인트를 묻힌 후/
2바퀴를 굴렸더니/
페인트가 칠해진 부분의 넓이가 540 cm²였습니다./
롤러의 밑면의 반지름을 구해 보세요./ (원주율: 3)

18 cm

구하려는 것은? 롤러의 밑면의 반지름

주어진 것은?
- 롤러를 굴린 바퀴 수: ☐바퀴
- 페인트가 칠해진 부분의 넓이: ☐ cm²
- 롤러의 높이: 18 cm

어떻게 풀까? 롤러를 1바퀴 굴렸을 때 페인트가 칠해진 부분의 넓이는 옆면의 넓이와 같다.

롤러의 옆면 ➡ ☐ 한 밑면의 둘레

18 cm

해결해 볼까?

❶ 롤러를 1바퀴 굴렸을 때 페인트가 칠해진 부분의 넓이는 몇 cm²?

전략〉 (2바퀴 굴렸을 때 칠해진 부분의 넓이)÷2

답

❷ 롤러의 한 밑면의 둘레는 몇 cm?

전략〉 어떻게 풀까? 의 그림을 이용하자.

답

❸ 롤러의 밑면의 반지름은 몇 cm?

답

원기둥, 원뿔, 구

{ 창의·융합·코딩 체험하기 }

 두 반원 모양 종이를 두 지름을 기준으로 돌려 눈사람 모양을 만들었습니다. / 눈사람 모양의 높이는 몇 cm인가요?

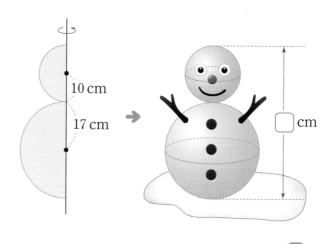

답 _____

 [보기]와 같이 입체도형의 높이를 말하는 로봇을 만들었습니다.

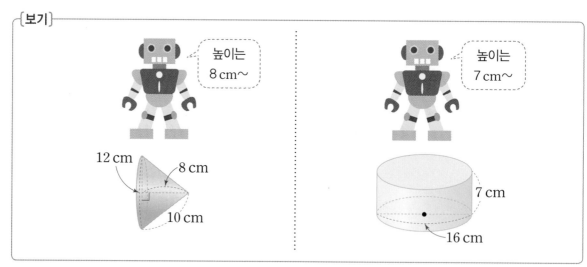

다음 입체도형을 보고 로봇이 말하는 길이는 몇 cm인가요?

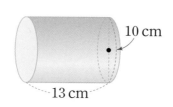

답 _____

3 영수는 그림과 같은 구를 넣을 수 있는 원기둥 모양의 상자를 만들려고 합니다./
재료가 낭비되지 않도록 구가 딱 맞게 들어가는 상자의 전개도를 그린 것입니다./
전개도의 각 부분의 길이를 구하여 ◯ 안에 알맞은 수를 써넣으세요./ (원주율: 3.1)

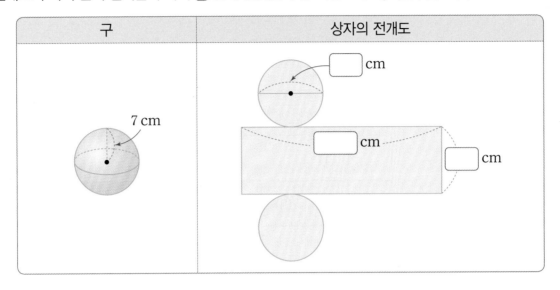

구	상자의 전개도
7 cm	☐ cm ☐ cm ☐ cm

 4 하준이는 밑면의 지름이 5 cm이고 높이가 12 cm인 원기둥 모양의 음료수 캔을 샀습니다./
길을 걷다가 이 음료수 캔을 떨어뜨렸는데/
옆면으로 6바퀴를 직선 방향으로 굴러간 후 멈추었습니다./
지금 음료수 캔은 처음 떨어뜨린 곳으로부터 몇 cm 떨어진 곳에 있나요?/ (원주율: 3.14)

답 _____

STEP 4 { 창의·융합·코딩 체험하기 }

[코딩 5 ~ 6] 로봇은 주어진 도형을 보고 다음 명령을 실행합니다.

▶ 시작하기 버튼을 클릭했을 때

밑면의 수만큼 오른쪽으로 이동하기

꼭짓점의 수만큼 위쪽으로 이동하기

로봇에게 다음 도형들을 순서대로 제시하였을 때／
로봇이 마지막에 도착하는 곳을 찾아 번호를 써 보세요.

 →  →

답 _____

 →  →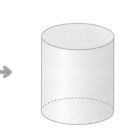

답 _____

원기둥, 원뿔, 구

154

직각삼각형을 한 변을 기준으로 돌려 만든 입체도형이 있습니다.
예준이가 10초에 60 m를 가는 빠르기로 일정하게 달릴 때
이 입체도형의 밑면의 둘레를 따라 한 바퀴 달리는 데 걸리는 시간을 구해 보세요. (원주율: 3)

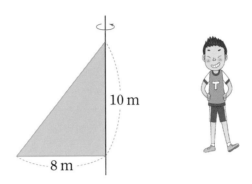

(1) 직각삼각형을 한 변을 기준으로 돌리면 어떤 입체도형이 되는지 겨냥도를 완성해 보세요.

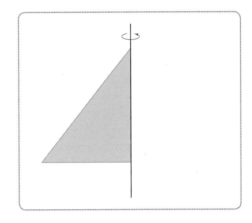

(2) (1)에서 그린 입체도형의 밑면의 둘레는 몇 m인가요?

 답

(3) 예준이가 밑면의 둘레를 따라 한 바퀴 달리는 데 걸리는 시간은 몇 초인가요?

 난 10초에 60 m를 가는 빠르기로 달려~

 답

{ 실전 마무리 하기 }

원기둥과 원뿔의 높이

1 원기둥과 원뿔 중에서 어느 입체도형의 높이가 몇 cm 더 높은가요?

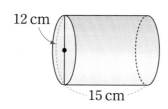
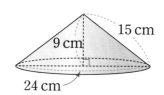

풀이

답 _____ , _____

종이를 돌려 만든 입체도형 136쪽

2 오른쪽 직사각형 모양의 종이를 한 변을 기준으로 돌려 입체도형을 만들었습니다. 만든 입체도형의 한 밑면의 둘레는 몇 cm인가요? (원주율: 3.1)

풀이

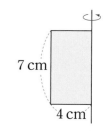

답 _____

원뿔의 구성 요소 148쪽

3 오른쪽 원뿔에서 밑면의 반지름은 6 cm, 높이는 8 cm, 모선의 길이는 10 cm입니다. 삼각형 ㄱㄴㄹ의 둘레는 몇 cm인가요?

풀이

답 _____

구를 잘랐을 때 나오는 원의 넓이 ⟳148쪽

4 오른쪽 구를 잘랐을 때 나올 수 있는 원 중에서 가장 큰 원의 넓이는 몇 cm²
인가요? (원주율: 3)

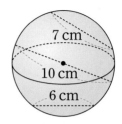

답 _____

입체도형을 앞에서 본 모양 ⟳143쪽

5 오른쪽 원기둥을 앞에서 본 모양의 둘레가 58 cm일 때 원기둥의 높이는 몇
cm인가요?

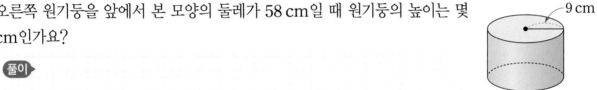

답 _____

원기둥의 전개도에서 길이 구하기 ⟳138쪽

6 오른쪽 원기둥의 전개도에서 옆면의 둘레는
몇 cm인가요? (원주율: 3)

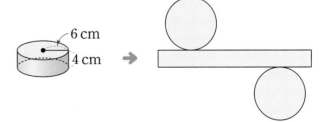

답 _____

6

원기둥, 원뿔, 구

157

원기둥의 옆면의 넓이 구하기 145쪽

7 원기둥 모양의 롤러에 페인트를 묻힌 후 1바퀴를 굴렸습니다. 페인트가 칠해진 부분의 넓이는 몇 cm²인가요? (원주율: 3.1)

풀이

답 _____

원뿔을 위에서 본 모양의 넓이 구하기 149쪽

8 앞에서 본 모양이 그림과 같은 원뿔이 있습니다. 삼각형 ㄱㄴㄷ의 둘레가 20 cm일 때 이 원뿔을 위에서 본 모양의 넓이는 몇 cm²인가요? (원주율: 3.14)

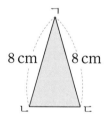

풀이

답 _____

원기둥의 옆면의 넓이를 이용하여 길이 구하기 ⌒141쪽

9 원기둥의 전개도에서 옆면의 넓이는 434 cm²입니다. 밑면의 반지름은 몇 cm인가요? (원주율: 3.1)

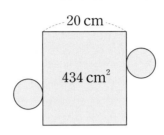

20 cm

434 cm²

〔풀이〕

답 _____

조건을 만족하는 원기둥 알아보기 ⌒146쪽

10 〔조건〕을 만족하는 원기둥의 높이는 몇 cm인가요? (원주율: 3)

┌〔조건〕─────────────────────┐
│ • 전개도에서 옆면의 둘레는 72 cm입니다.
│ • 원기둥의 높이와 밑면의 지름은 같습니다.
└────────────────────────────┘

〔풀이〕

답 _____

학교 시험, 걱정 없이 든든하게!

수학 단원평가

수행평가 완벽 대비

쪽지 시험, 단원평가, 서술형 평가 등
학교에서 시행하는 다양한 수행평가에
완벽 대비 가능한 최신 경향의 문제 수록

난이도별 문제 수록

A, B, C 세 단계 난이도의 단원평가로
나의 수준에 맞게 실력을 점검하고
부족한 부분을 빠르게 보충 가능

확실한 개념 정리

수학은 개념이 생명!
기본 개념 문제로 구성된 쪽지 시험과
단원평가 5회분으로 확실한 단원 마무리

다양해진 학교 시험,
한 권으로 끝내자!
(초등 1~6학년 / 학기별)

#난이도별
#천재되는_수학교재

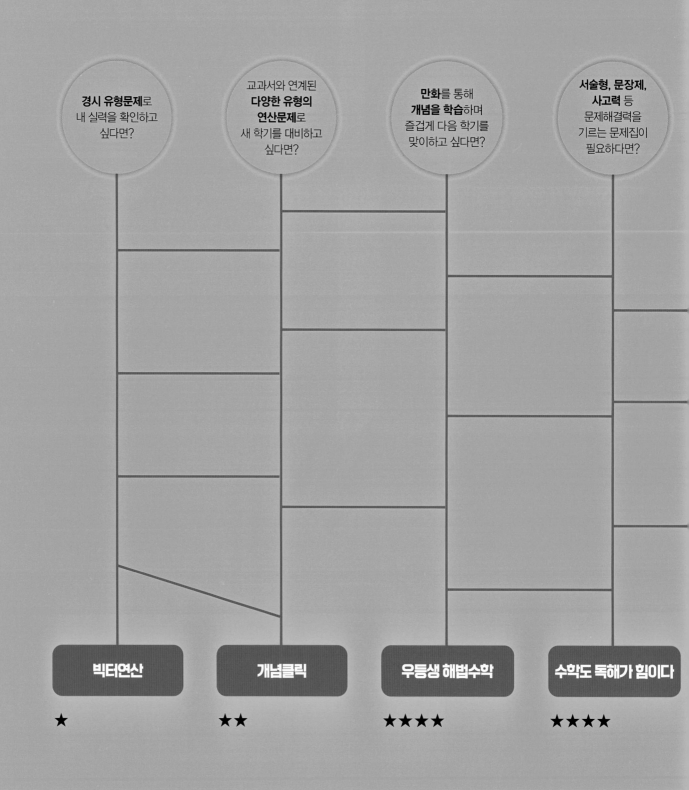

경시 유형문제로
내 실력을 확인하고
싶다면?

교과서와 연계된
**다양한 유형의
연산문제로**
새 학기를 대비하고
싶다면?

**만화를 통해
개념을 학습**하며
즐겁게 다음 학기를
맞이하고 싶다면?

**서술형, 문장제,
사고력** 등
문제해결력을
기르는 문제집이
필요하다면?

빅터연산 ★

개념클릭 ★★

우등생 해법수학 ★★★★

수학도 독해가 힘이다 ★★★★

정답과 풀이

수학도 독해가 힘이다

초등 수학 **6-2**

정답과 풀이 포인트 3가지

▶ 혼자서도 이해할 수 있는 친절한 문제 풀이

▶ 문제 해결에 꼭 필요한 핵심 전략 제시

▶ 문제 분석과 쌍둥이 문제로 수학 독해력 완성

정답과 자세한 풀이

{ CONTENTS }

빠른 정답

1 분수의 나눗셈

6～7쪽

선행 문제 1

(1) $2\frac{2}{3}$, 15, 15　(2) $\frac{7}{10}$, $11\frac{3}{7}$, 11

실행 문제 1

❶ 2, $1\frac{1}{2}\left(=\frac{3}{2}\right)$

❷ $1\frac{1}{2}\left(=\frac{3}{2}\right)$, $7\frac{1}{2}$

❸ 7　답 7개

쌍둥이 문제 1-1 9명

선행 문제 2

(1) 15, 3, 5　(2) 1, 5, 1, 4

실행 문제 2

❶ $\frac{11}{12}$, 9　❷ 9, 8　답 8번

쌍둥이 문제 2-1 7번

8～9쪽

선행 문제 3

(1) 2, 5　(2) 7, ×, 6, ×

실행 문제 3

❶ 6, 4　❷ 4 / 7, 8, 9
답 7, 8, 9

쌍둥이 문제 3-1 3, 4

선행 문제 4

(위에서부터) $\frac{1}{5}$, $1\frac{1}{3}\left(=\frac{4}{3}\right)$

실행 문제 4

❶ 1　❷ $8\frac{1}{3}$, $13\frac{1}{3}\left(=\frac{40}{3}\right)$

❸ $13\frac{1}{3}\left(=\frac{40}{3}\right)$, 120　답 120 km

쌍둥이 문제 4-1

60 kg

10～11쪽

선행 문제 5

$\frac{7}{10}$, $12\frac{1}{2}$, $3\frac{1}{2}$

실행 문제 5

❶ $\frac{3}{4}$　❷ $10\frac{4}{5}$, $4\frac{1}{5}$

❸ $4\frac{1}{5}$, $\frac{3}{4}$, $5\frac{3}{5}\left(=\frac{28}{5}\right)$

답 $5\frac{3}{5}$ cm$\left(=\frac{28}{5}$ cm$\right)$

쌍둥이 문제 5-1

$3\frac{3}{4}$ cm$\left(=\frac{15}{4}$ cm$\right)$

선행 문제 6

(1) $\frac{1}{3}$, $\frac{1}{3}$, 36　(2) $\frac{4}{7}$, $\frac{4}{7}$, 56

실행 문제 6

❶ 35　❷ 35, 140

❸ 140　답 140분

쌍둥이 문제 6-1

180 m^2

12～13쪽

대표 문제 1

주 $\frac{9}{10}$　❶ $5\frac{5}{8}$ L

❷ $5\frac{5}{8}\div\frac{9}{10}=6\frac{1}{4}$　❸ 7번

쌍둥이 문제 1-1 18개

대표 문제 2

❶ 44군데　❷ 45개　❸ 90개

쌍둥이 문제 2-1 142그루

14～15쪽

대표 문제 3

❶ 예 $3\times\square$　❷ 20　❸ 3, 4, 5, 6

쌍둥이 문제 3-1 5, 6, 7

대표 문제 4

주 4000, $\frac{9}{10}$　❶ 싼에 ◯표

❷ 6400원, 6000원

❸ 나 과일 가게

쌍둥이 문제 4-1 승용차

16～17쪽

대표 문제 5

구 남은　주 $19\frac{1}{6}$, 15

❶ $4\frac{1}{6}$ cm　❷ $3\frac{3}{5}$시간$\left(=\frac{18}{5}$시간$\right)$

쌍둥이 문제 5-1

$7\frac{3}{4}$시간$\left(=\frac{31}{4}$시간$\right)$

대표 문제 6

❶ $\frac{5}{8}$　❷ $\square\times\frac{5}{8}=275$　❸ 440명

쌍둥이 문제 6-1 720 mL

18～19쪽

독해 문제 1

❶ $\frac{3}{4}$시간　❷ $1\frac{3}{5}$배$\left(=\frac{8}{5}$배$\right)$

독해 문제 2

❶ $21\frac{7}{8}$시간$\left(=\frac{175}{8}$시간$\right)$　❷ 25대

독해 문제 3

❶ 크게에 ◯표

❷ $8\frac{4}{5}\div1\frac{5}{6}$, $4\frac{4}{5}\left(=\frac{24}{5}\right)$

독해 문제 4

❶ $\frac{3}{5}$, $\frac{3}{5}$, $\frac{3}{5}$　❷ 200 cm

20~21쪽

독해 문제 5

주 15, $9\frac{3}{8}$ ① $5\frac{5}{8}$ cm

② $3\frac{3}{4}$ cm$\left(=\frac{15}{4}$ cm$\right)$

③ $2\frac{1}{2}$시간$\left(=\frac{5}{2}$시간$\right)$

독해 문제 6

구 전체 주 $\frac{1}{4}$, 42

① $\frac{3}{4}$ ② 56쪽 ③ $\frac{2}{3}$ ④ 84쪽

22~23쪽

융합 ① 8배   창의 ② 35 kg

융합 ③ 600 m

코딩 ④ $1\frac{1}{7}$배$\left(=\frac{8}{7}$배$\right)$

24~25쪽

창의 ⑤ (1) $2\frac{2}{5}$ kg$\left(=\frac{12}{5}$ kg$\right)$

(2) 5일 (3) 9월 5일

코딩 ⑥ 9개   융합 ⑦ 50 kg

26~27쪽

1 $1\frac{4}{5}$ km$\left(=\frac{9}{5}$ km$\right)$

2 7개   **3** $1\frac{3}{5}$배$\left(=\frac{8}{5}$배$\right)$

4 140개   **5** 50송이

6 2, 3, 4

28~29쪽

7 $5\frac{1}{3}$ cm$\left(=\frac{16}{3}$ cm$\right)$

8 $2\frac{4}{7}\div1\frac{1}{5}$, $2\frac{1}{7}\left(=\frac{15}{7}\right)$

9 나 정육점 **10** 407명

2 소수의 나눗셈

32~33쪽

선행 문제 1

(1) 1.5, 1.5 / 20   (2) 30, 30 / 0.05

실행 문제 1

① 3.1, 5.6 ② 5.6, 44.8

답 44.8 kg

쌍둥이 문제 1-1 8 m

선행 문제 2

(1) 24, 2.8 / 2.8

(2) 3, 18, 1.2 / 3, 1.2

실행 문제 2

① 17.3, 2 ② 8, 16, 1.3

답 8명, 1.3 L

쌍둥이 문제 2-1

5명, 7.5 m

34~35쪽

선행 문제 3

(1) 18.2, 7, 7

(2) 3.5, 3.5, 0.42, 0.42

실행 문제 3

① 2.7, 8.64 ② 2.7, 3.2, 3.2

③ 3.2, 4   답 4

쌍둥이 문제 3-1 13

선행 문제 4

(1) 60, 4, 8.4 (2) 60, 8, 5.8

실행 문제 4

① $\frac{36}{60}$, 6, 1.6 ② 1.6, 7

답 7 cm

쌍둥이 문제 4-1 2.3 km

36~37쪽

선행 문제 5

(1) 3 (2) 7, 2, 7, 2 / 7, 2

실행 문제 5

① 8, 5, 1, 8, 5, 1 ② 8, 5, 1

③ 2, 5 답 5

쌍둥이 문제 5-1 0

선행 문제 6

1.29, 0.14, 1.43

실행 문제 6

① 5.7, 0.12, 5.82 ② 5.82, 3

답 3분

쌍둥이 문제 6-1 35초

38~39쪽

대표 문제 1

구 30 ① 13 km ② 390 km

쌍둥이 문제 1-1

40 L

대표 문제 2

① 6가구, 1.8 L

② 2.2 L

쌍둥이 문제 2-1

0.6 kg

40~41쪽

대표 문제 3

주 1.6, 45

① □÷1.6=45 ② 72 ③ 120

쌍둥이 문제 3-1 6

대표 문제 4

구 30   주 21.2

❶ 4 L   ❷ 3.5분   ❸ 14 L

쌍둥이 문제 4-1

480 L

42~43쪽

대표 문제 5

❶ 0.727272……   ❷ 2, 7

❸ 3

쌍둥이 문제 5-1

8

대표 문제 6

주 150, 1.36   ❶ 0.15 km

❷ 8.16 km   ❸ 6분

쌍둥이 문제 6-1

9분

44~45쪽

독해 문제 1

❶ 13.95 cm   ❷ 3배

독해 문제 2

❶ 크게에 ◯표, 작게에 ◯표

❷ 9.76, 0.4

❸ 9.76÷0.4, 24.4

독해 문제 3

❶ (19.5−1.5)÷1.5

❷ 12   ❸ 19

독해 문제 4

❶ 53군데   ❷ 54그루   ❸ 108그루

46~47쪽

독해 문제 5

주 40.5, 6   ❶ 121.5 g

❷ 20개, 1.5 g   ❸ 4.5 g

독해 문제 6

주 4.15, 9

❶ 0.13 km   ❷ 4.28 km

❸ 1.07 km   ❹ 4분

48~49쪽

융합 ❶ 1.7배

창의 ❷ A 마트

창의 ❸ 15개

코딩 ❹ 16

50~51쪽

코딩 ❺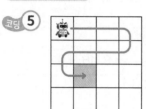

코딩 ❻

창의 ❼ 12분

융합 ❽ 과체중

52~53쪽

1 21배

2 8개, 1.3 kg

3 300 km

4 9   5 25그루

6 17.1 L

54~55쪽

7 23.4÷1.8, 13

8 33   9 7

10 5분

---

3 공간과 입체

58~59쪽

선행 문제 1

⑴ 4   ⑵ 2

실행 문제 1

❶ 5   ❷ 3   ❸ 5, 3, 8   답 8개

쌍둥이 문제 1-1 6개

선행 문제 2

 / 1, 1, 7

실행 문제 2

❶ 3, 27   ❷ 10   ❸ 27, 10, 17

답 17개

쌍둥이 문제 2-1 4개

60~61쪽

실행 문제 3

❶ 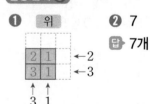   ❷ 7

답 7개

쌍둥이 문제 3-1 8개

선행 문제 4

1, 위

1	2
3	3
1	1

실행 문제 4

❶ 위   ❷ 13

답 13개

1	
3	3
2	3	1

쌍둥이 문제 4-1 11개

62~63쪽

선행 문제 5

1, 9 / 9, 1

실행 문제 5

❶ 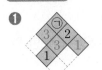 ❷ 10

❸ 10, 2 답 2개

쌍둥이 문제 5-1

1개

실행 문제 6

❶ 3 ❷ 3, 2

❸ 예  , 3

답 3가지

쌍둥이 문제 6-1

4가지

64~65쪽

대표 문제 1

구 3

❶ 3층, 4층, 5층

❷ 4개, 2개, 1개

❸ 7개

쌍둥이 문제 1-1

10개

대표 문제 2

❶ 27개 ❷ 8개 ❸ 19개

쌍둥이 문제 2-1

53개

66~67쪽

대표 문제 3

❶ 위 ❷ 10개

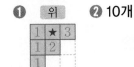

쌍둥이 문제 3-1 11개

대표 문제 4

❶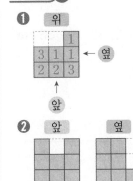

❷ 앞   옆

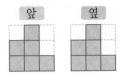

쌍둥이 문제 4-1

앞   옆

68~69쪽

대표 문제 5

❶   ❷ 15개

쌍둥이 문제 5-1 10개

대표 문제 6

❶ 6개 ❷ 1개

❸ 예 위   위   위 ,

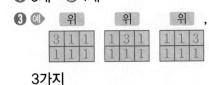

3가지

쌍둥이 문제 6-1 2가지

70~71쪽

독해 문제 1

❶ 9개 ❷ 5개

독해 문제 2

❶ 위 ❷ 옆

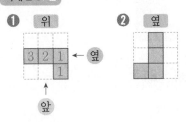

독해 문제 3

❶ 앞 ❷ 24 cm²

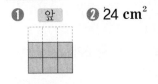

독해 문제 4

❶ 1개, 3개, 5개 ❷ 2 ❸ 11개

72~73쪽

독해 문제 5

❶ 위 , 14 ❷ 위 , 12

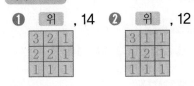

❸ 2개

독해 문제 6

❶ 5개 ❷ 1개

❸ 예 위   위 ❹ 위

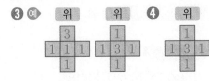

74~75쪽

창의 ❶ 12개 융합 ❷ 나

코딩 ❸ (1) 6개 (2) 다

76~77쪽

창의 ❹ 15개 창의 ❺ 유정

코딩 ❻ 라

78~79쪽

1 4개 **2** 10개
3 9개 **4** 6개
5
옆

80~81쪽

6 17개
7
앞 옆

8 7 cm² **9** 8개
10 5가지

4 비례식과 비례배분

84~85쪽

선행 문제 1
(1) 6 / 3, 5 (2) 14 / 10, 9

실행 문제 1
❶ 240, 140, 100 ❷ 100, 5
답 예 7 : 5

쌍둥이 문제 1-1 예 4 : 7

선행 문제 2
(1) 84 : □ (2) □ : 18

실행 문제 2
❶ 20 : □ ❷ 20, 100, 25, 25
답 25자루

쌍둥이 문제 2-1 400 g

86~87쪽

선행 문제 3
3, 7 / 3, 6, 7, 14

실행 문제 3
❶ 6, 24, 5, 20 ❷ 24, 20, 4
답 4권

쌍둥이 문제 3-1
100 g

선행 문제 4
18, 3

실행 문제 4
❶ 8, 3 ❷ 3, 3, 36 답 36 cm²

쌍둥이 문제 4-1
48 cm²

88~89쪽

선행 문제 5
4, 5 / 4, 5

실행 문제 5
❶ $\frac{1}{4}$, $\frac{3}{5}$ ❷ $\frac{3}{5}$, 12
답 예 5 : 12

쌍둥이 문제 5-1
예 6 : 5

실행 문제 6
❶ 16 ❷ 16
❸ 16, 16, 240, 10
답 10바퀴

쌍둥이 문제 6-1
20바퀴

90~91쪽

대표 문제 1
❶ $\frac{1}{3}$, $\frac{1}{2}$ ❷ 예 2 : 3

쌍둥이 문제 1-1
예 4 : 3

대표 문제 2
❶ □ : 425 ❷ 5시간

쌍둥이 문제 2-1 34번

92~93쪽

대표 문제 3
❶ 예 2 : 3 ❷ 12만 원, 18만 원
❸ 6만 원

쌍둥이 문제 3-1 4만 원

대표 문제 4
❶ 예 4 : 7 ❷ 12 cm²

쌍둥이 문제 4-1 10 cm²

94~95쪽

대표 문제 5
❶ $\frac{1}{3}$, $\frac{3}{4}$ ❷ 예 9 : 4

쌍둥이 문제 5-1 예 7 : 6

대표 문제 6
❶ 예 18 : 24 ❷ 예 24 : 18
❸ 예 24 : 18=40 : □, 30개

쌍둥이 문제 6-1 21개

96~97쪽

독해 문제 1
❶ $\square \times \dfrac{\boxed{5}}{\boxed{5}+\boxed{8}}=35$ ❷ 91개

독해 문제 2
❶ 내항 ❷ 100 / 10 ❸ 7

독해 문제 3
❶ 51 cm ❷ 30 cm, 21 cm
❸ 630 cm²

독해 문제 4
❶ 30시간
❷ 예 24 : 4=30 : □, 5
❸ 오후 3시 5분

98~99쪽

독해 문제 5

주 180

① $\frac{7}{20}$, $\frac{1}{4}$ ② 예 5 : 7

③ 75 cm²

독해 문제 6

주 3, 2

① 60개 ② 24개 ③ 6개

100~101쪽

코딩 ① ○

창의 ② 950 g

융합 ③ 15시간

코딩 ④ 예 3 : 1

102~103쪽

창의 ⑤ 44 cm

창의 ⑥ 12만 원

융합 ⑦ (1) 예 3 : 5
      (2) 48바퀴
      (3) 80바퀴

104~105쪽

1 16명

2 200 g, 320 g

3 예 6 : 5

4 480 g

5 120 cm²

106~107쪽

6 80개

7 32

8 150 cm²

9 예 16 : 25

10 20바퀴

5 원의 넓이

110~111쪽

선행 문제 1

10, 3.1, 31

실행 문제 1

① 16, 49.6 ② 5 ③ 49.6, 248
답 248 cm

쌍둥이 문제 1-1

147 cm

선행 문제 2

(1) 18.6, 3.1, 6 (2) 48, 16, 4, 4

실행 문제 2

① 반지름 ② 24.8, 8, 8, 4
③ 4, 4, 49.6 답 49.6 cm²

쌍둥이 문제 2-1

243 cm²

112~113쪽

선행 문제 3

4, 4, 4, 48

실행 문제 3

① 12, 직 ② 12, 72 답 72 cm²

쌍둥이 문제 3-1

155 cm²

선행 문제 4

10, 10, 5

실행 문제 4

① 8, 8, 96 ② 8, 4 / 4, 4, 48
③ 96, 48, 48 답 48 cm²

쌍둥이 문제 4-1

81 cm²

114~115쪽

선행 문제 5

4, 4, 6, 4, 9

실행 문제 5

① 10, 20 ② 10, 10, 4, 15.5
③ 20, 15.5, 35.5 답 35.5 cm

쌍둥이 문제 5-1 28 cm

선행 문제 6

7, 7, 7, 21

실행 문제 6

① 2, 50 ② 20, 60
③ 50, 60, 110 답 110 cm

쌍둥이 문제 6-1 75.4 cm

116~117쪽

대표 문제 1

① 31 cm ② 6바퀴

쌍둥이 문제 1-1

4바퀴

대표 문제 2

구 둘레
① □×□×3.1=198.4
② 8 cm, 16 cm ③ 49.6 cm

쌍둥이 문제 2-1

62.8 cm

118~119쪽

대표 문제 3

구 넓이
① 예
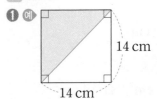

② 98 cm²

빠른 정답

쌍둥이 문제 3-1

16 cm^2

대표 문제 4

구 넓이

① 216 cm^2 ② 24 cm^2

③ 192 cm^2

쌍둥이 문제 4-1

120 cm^2

---

120 ~ 121쪽

대표 문제 5

구 둘레

① 32 cm ② 48 cm

③ 80 cm

쌍둥이 문제 5-1

60 cm

대표 문제 6

① 32 cm ② 24.8 cm

③ 56.8 cm

쌍둥이 문제 6-1

135 cm

---

122 ~ 123쪽

독해 문제 1

① 16 cm

② 198.4 cm^2

독해 문제 2

① 짧을수록에 ○표

② 20 cm, 19 cm, 22 cm

③ ㉡

독해 문제 3

① 3배

② 94.2 cm

독해 문제 4

① 108 cm^2 ② 48 cm^2

③ 60 cm^2

---

124 ~ 125쪽

독해 문제 5

구 넓이

① 22.5 cm^2 ② 22.5 cm^2

③ 45 cm^2

독해 문제 6

구 길이

① 24 cm ② 6, 18.84 cm

③ 42.84 cm

---

126 ~ 127쪽

융합 ① 56.52 cm

창의 ② 10번

창의 ③ (1) 90 m^2 (2) 10 m^2

(3) 80 m^2 (4) 8통

---

128 ~ 129쪽

창의 ④ 21 cm

코딩 ⑤ 9번

코딩 ⑥ (1) 60 cm, 60 cm

(2) 10초, 15초

(3) 25초

---

130 ~ 131쪽

1 6 cm

2 1155 cm

3 151.9 cm^2

4 50.24 cm

5 ㉡

6 31.4 cm

---

132 ~ 133쪽

7 18 cm^2

8 78 cm

9 85.5 cm^2

10 40 cm

---

6 원기둥, 원뿔, 구

136 ~ 137쪽

선행 문제 1

원기둥, 5, 10

실행 문제 1

① 원기둥 ② 9, 18 ③ 18, 54

답 54 cm

쌍둥이 문제 1-1 48 cm

선행 문제 2

(1) (위에서부터) 5, 3, 6

(2) (위에서부터) 10, 2, 8

실행 문제 2

① 11 cm ② 10, 11, 55

답 55 cm^2

쌍둥이 문제 2-1 56 cm^2

---

138 ~ 139쪽

선행 문제 3

6, 37.2

실행 문제 3

① 5, 31 ② 7 ③ 31, 7, 76

답 76 cm

쌍둥이 문제 3-1

66 cm

선행 문제 4

9, 27 / 27, 6, 162

실행 문제 4

① 6, 3.1, 37.2 ② 37.2, 372

답 372 cm^2

쌍둥이 문제 4-1

240 cm²

140～141쪽

선행 문제 5

6, 6, 6

실행 문제 5

❶ (위에서부터) 8, 16, 2, 16

❷ 16　답 16 cm

쌍둥이 문제 5-1

6 cm

선행 문제 6

47.1, 47.1, 15

실행 문제 6

❶ 93, 18.6　❷ 18.6, 6　답 6 cm

쌍둥이 문제 6-1

4 cm

142～143쪽

대표 문제 1

❶ 예 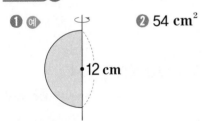　❷ 54 cm²

쌍둥이 문제 1-1

30 cm²

대표 문제 2

❶ 예 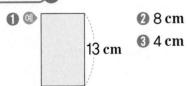　❷ 8 cm　❸ 4 cm

쌍둥이 문제 2-1

7 cm

144～145쪽

대표 문제 3

❶ 24.8 cm　❷ 12 cm

❸ 123.2 cm

쌍둥이 문제 3-1 130 cm

대표 문제 4

❶ 180 cm²　❷ 540 cm²

쌍둥이 문제 4-1 372 cm²

146～147쪽

대표 문제 5

❶ (□×3) cm

❷ 예 (□×3+□)×2=56

❸ 7 cm

쌍둥이 문제 5-1 11 cm

대표 문제 6

❶ 15　❷ 55.8 cm　❸ 9 cm

쌍둥이 문제 6-1 5 cm

148～149쪽

독해 문제 1

❶ (위에서부터) 17, 17, 16

❷ 50 cm

독해 문제 2

❶ 12 cm　❷ 111.6 cm²

독해 문제 3

❶ 6 cm　❷ 3 cm　❸ 27.9 cm²

독해 문제 4

❶ 96 cm²　❷ 216 cm²

❸ 312 cm²

150～151쪽

독해 문제 5

주 32, 24, 4　❶ 24 cm

❷ (　)(○)　❸ 16 cm

독해 문제 6

주 2, 540　❶ 270 cm²

❷ 15 cm　❸ 2.5 cm($=2\frac{1}{2}$ cm)

152～153쪽

융합 ① 54 cm

코딩 ② 13 cm

창의 ③ (위에서부터) 14, 43.4, 14

창의 ④ 94.2 cm

154～155쪽

코딩 ⑤ ③

코딩 ⑥ ④

창의 ⑦ (1)

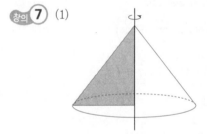

(2) 48 m

(3) 8초

156～157쪽

1 원기둥, 6 cm

2 24.8 cm

3 24 cm

4 75 cm²

5 11 cm

6 80 cm

158～159쪽

7 186 cm²

8 12.56 cm²

9 3.5 cm($=3\frac{1}{2}$ cm)

10 9 cm

빠른 정답

정답과 자세한 풀이

1 분수의 나눗셈

FUN한 이야기 4~5쪽

$36 \div \dfrac{4}{5} = 45$, 45

1STEP 문제 해결력 기르기 6~11쪽

6쪽

선행 문제 1

(1) $2\dfrac{2}{3}$, 15, 15   (2) $\dfrac{7}{10}$, $11\dfrac{3}{7}$, 11

실행 문제 1

❶ 2, $1\dfrac{1}{2}\left(=\dfrac{3}{2}\right)$

❷ $1\dfrac{1}{2}\left(=\dfrac{3}{2}\right)$, $7\dfrac{1}{2}$

❸ 7   답 7개

쌍둥이 문제 1-1

❶ (전체 주스의 양)
$= 2 \times 3 = 6 \,(\text{L})$

❷ (전체 주스의 양)
$\div$ (한 명에게 나누어 주는 주스의 양)
$= 6 \div \dfrac{5}{8} = 6 \times \dfrac{8}{5} = \dfrac{48}{5} = 9\dfrac{3}{5}$ (배)

❸ 전략 나누어 줄 수 있는 사람 수는 자연수이므로
(❷에서 구한 몫의 자연수 부분)을 답하자.
주스를 9명까지 나누어 줄 수 있다.   답 9명

7쪽

선행 문제 2

(1) 15, 3, 5   (2) 1, 5, 1, 4

실행 문제 2

❶ $\dfrac{11}{12}$, 9

❷ 9, 8   답 8번

쌍둥이 문제 2-1

❶ (도막의 수)
$= 7\dfrac{1}{5} \div \dfrac{9}{10} = \dfrac{36}{5} \div \dfrac{9}{10} = \dfrac{72}{10} \div \dfrac{9}{10}$
$= 72 \div 9 = 8$(도막)

참고 (도막의 수)=(전체 길이)÷(한 도막의 길이)

❷ 전략 자르는 횟수는 도막의 수보다 1 작다.
(자르는 횟수)
$= 8 - 1 = 7$(번)   답 7번

8쪽

선행 문제 3

(1) 2, 5

(2) 7, ×, 6, ×

실행 문제 3

❶ 6, 4

❷ 4 / 7, 8, 9   답 7, 8, 9

쌍둥이 문제 3-1

❶ 전략 분수의 나눗셈식을 곱셈식으로 간단히 나타내자.
$35 \div \dfrac{5}{\square} = (35 \div 5) \times \square$
$= 7 \times \square$

❷ $16 < 7 \times \square < 33$
➜ $\square$ 안에 들어갈 수 있는 자연수: 3, 4   답 3, 4

9쪽

선행 문제 4

(위에서부터) $\dfrac{1}{5}$, $1\dfrac{1}{3}\left(=\dfrac{4}{3}\right)$

실행 문제 4

❶ 1

❷ $8\dfrac{1}{3}$, $13\dfrac{1}{3}\left(=\dfrac{40}{3}\right)$

❸ $13\dfrac{1}{3}\left(=\dfrac{40}{3}\right)$, 120   답 120 km

쌍둥이 문제 4-1

❶ 8 m의 무게를 구하려면 먼저 1 m의 무게를 구해야 한다.

❷ 전략 ▷ (통나무의 무게)÷(통나무의 길이)

(통나무 1 m의 무게)

$$=4\frac{1}{2}\div\frac{3}{5}=\frac{\overset{3}{\cancel{9}}}{2}\times\frac{5}{\underset{1}{\cancel{3}}}=\frac{15}{2}=7\frac{1}{2}\ (kg)$$

주의 (통나무의 길이)÷(통나무의 무게)로 잘못 계산하지 않도록 한다.

❸ (통나무 8 m의 무게)

$$=7\frac{1}{2}\times8=\frac{15}{\underset{1}{\cancel{2}}}\times\overset{4}{\cancel{8}}=60\ (kg)$$

답 **60 kg**

10쪽

선행 문제 5

$$\frac{7}{10},\ 12\frac{1}{2},\ 3\frac{1}{2}$$

실행 문제 5

❶ $\dfrac{3}{4}$

❷ $10\dfrac{4}{5},\ 4\dfrac{1}{5}$

❸ $4\dfrac{1}{5},\ \dfrac{3}{4},\ 5\dfrac{3}{5}$

답 $5\dfrac{3}{5}$ cm$\left(=\dfrac{28}{5}\ cm\right)$

쌍둥이 문제 5-1

❶ (양초가 탄 시간)

$$=1\frac{1}{6}\text{시간}$$

❷ (탄 양초의 길이)

$$=11\frac{3}{8}-7=4\frac{3}{8}\ (cm)$$

❸ 전략 ▷ (탄 양초의 길이)÷(양초가 탄 시간)

(1시간 동안 타는 양초의 길이)

$$=4\frac{3}{8}\div1\frac{1}{6}=\frac{35}{\underset{4}{\cancel{8}}}\times\frac{\overset{3}{\cancel{6}}}{\underset{1}{\cancel{7}}}=\frac{15}{4}=3\frac{3}{4}\ (cm)$$

답 $3\dfrac{3}{4}$ cm$\left(=\dfrac{15}{4}\ cm\right)$

11쪽

선행 문제 6

(1) $\dfrac{1}{3},\ \dfrac{1}{3},\ 36$ (2) $\dfrac{4}{7},\ \dfrac{4}{7},\ 56$

실행 문제 6

❶ 35

❷ 35, 140

참고
$$\square\times\frac{1}{4}=35$$
$$\Rightarrow\square=35\div\frac{1}{4}=35\times4=140$$

❸ 140

답 **140분**

쌍둥이 문제 6-1

❶ 전략 ▷ 깻잎을 심은 밭의 넓이를 구하는 식을 세우자.

윤호네 밭 전체의 넓이를 □ m² 라 하면

$$\square\times\frac{4}{9}=80\text{이다.}$$

❷ $$\square=80\div\frac{4}{9}=\overset{20}{\cancel{80}}\times\frac{9}{\underset{1}{\cancel{4}}}=180$$

❸ 윤호네 밭 전체의 넓이: 180 m²

답 **180 m²**

STEP 2 수학 사고력 키우기 12~17쪽

12쪽

대표 문제 1

주 $\dfrac{9}{10}$

해 ❶ (어항의 들이)−(어항에 들어 있는 물의 양)

$$=6\frac{3}{4}-1\frac{1}{8}=6\frac{6}{8}-1\frac{1}{8}=5\frac{5}{8}\ (L)$$ 답 $5\dfrac{5}{8}$ L

❷ (더 부어야 하는 물의 양)÷(그릇의 들이)

$$=5\frac{5}{8}\div\frac{9}{10}=\frac{\overset{5}{\cancel{45}}}{\underset{4}{\cancel{8}}}\times\frac{\overset{5}{\cancel{10}}}{\underset{1}{\cancel{9}}}=\frac{25}{4}=6\frac{1}{4}\ (\text{배})$$

식 $5\dfrac{5}{8}\div\dfrac{9}{10}=6\dfrac{1}{4}$

❸ 들이가 $\dfrac{9}{10}$ L인 그릇으로 적어도 6+1=7(번) 부어야 한다.

답 **7번**

쌍둥이 문제 1-1

❶ (남은 소금의 양)

$$=20-7\frac{7}{10}=12\frac{3}{10}\,(\text{kg})$$

❷ (남은 소금의 양)÷(통 한 개에 담는 소금의 양)

$$=12\frac{3}{10}\div\frac{7}{10}=\frac{123}{10}\div\frac{7}{10}$$

$$=123\div7=\frac{123}{7}=17\frac{4}{7}\,(\text{배})$$

❸ 【전략】 ❷에서 구한 몫의 자연수 부분+1을 구하자.

필요한 통은 적어도 17+1=18(개)이다. **답▶ 18개**

【참고】 통 17개에 담으면 소금이 남으므로 적어도 통 1개가 더 필요하다.

13쪽

대표 문제 2

【해】 ❶ (도로의 길이)÷(가로등 사이의 간격)

$$=14\frac{2}{3}\div\frac{1}{3}=\frac{44}{3}\div\frac{1}{3}$$

$$=44\div1=44\,(\text{군데})$$ **답▶ 44군데**

❷ (가로등 사이 간격의 수)+1

$$=44+1=45\,(\text{개})$$ **답▶ 45개**

【참고】 가로등의 수는 가로등 사이 간격의 수보다 1 크다.

❸ (도로 한쪽에 세우는 데 필요한 가로등의 수)×2

$$=45\times2=90\,(\text{개})$$ **답▶ 90개**

쌍둥이 문제 2-1

❶ (길 한쪽에 심는 나무 사이 간격의 수)

$$=28\div\frac{2}{5}=(28\div2)\times5=70\,(\text{군데})$$

❷ 【전략】 (나무의 수)=(나무 사이 간격의 수)+1

(길 한쪽에 심는 데 필요한 나무의 수)

$$=70+1=71\,(\text{그루})$$

❸ (길 양쪽에 심는 데 필요한 나무의 수)

$$=71\times2=142\,(\text{그루})$$ **답▶ 142그루**

14쪽

대표 문제 3

【해】 ❶ $6\div\dfrac{2}{\square}=(6\div2)\times\square=3\times\square$ **식▶ 예 $3\times\square$**

❷ $15\div\dfrac{3}{4}=(15\div3)\times4=5\times4=20$ **답▶ 20**

❸ $8<3\times\square<20$

➡ $\square$ 안에 들어갈 수 있는 자연수는 3, 4, 5, 6이다. **답▶ 3, 4, 5, 6**

쌍둥이 문제 3-1

❶ 【전략】 $2\div\dfrac{1}{\square}$을 곱셈식으로 간단히 나타내자.

$$2\div\frac{1}{\square}=2\times\square$$

❷ $\dfrac{56}{5}\div\dfrac{7}{9}=\dfrac{\overset{8}{\cancel{56}}}{5}\times\dfrac{9}{\cancel{7}}=\dfrac{72}{5}=14\dfrac{2}{5}$

❸ $9\dfrac{1}{6}<2\times\square<14\dfrac{2}{5}$

➡ $\square$ 안에 들어갈 수 있는 자연수는 5, 6, 7이다.

답▶ 5, 6, 7

15쪽

대표 문제 4

【주】 4000, $\dfrac{9}{10}$

【해】 ❶ **답▶ 싼**에 ○표

❷ 가 과일 가게:

$$4000\div\frac{5}{8}=(4000\div5)\times8=6400\,(\text{원})$$

나 과일 가게:

$$5400\div\frac{9}{10}=(5400\div9)\times10=6000\,(\text{원})$$

답▶ 6400원, 6000원

❸ 6400>6000이므로 나 과일 가게에서 사는 것이 더 저렴하다. **답▶ 나 과일 가게**

쌍둥이 문제 4-1

❶ 더 빨리 달린 것은 1 km를 달리는 데 걸리는 시간이 더 짧은 자동차이다.

❷ (승용차가 1 km를 달리는 데 걸리는 시간)

$$=\frac{3}{10}\div\frac{8}{25}=\frac{3}{\underset{2}{\cancel{10}}}\times\frac{\overset{5}{\cancel{25}}}{8}=\frac{15}{16}\,(\text{분})$$

(트럭이 1 km를 달리는 데 걸리는 시간)

$$=\frac{5}{6}\div\frac{3}{4}=\frac{5}{\underset{3}{\cancel{6}}}\times\frac{\overset{2}{\cancel{4}}}{3}=\frac{10}{9}=1\frac{1}{9}\,(\text{분})$$

③ $\frac{15}{16} < 1\frac{1}{9}$이므로 더 빨리 달린 것은 승용차이다.

답 승용차

다르게 풀기

❶ 더 빨리 달린 것은 1분 동안 달리는 거리가 더 긴 자동차이다.

❷ (승용차가 1분 동안 달리는 거리)

$$= \frac{8}{25} \div \frac{3}{10} = \frac{8}{25} \times \frac{\overset{2}{10}}{3} = \frac{16}{15} = 1\frac{1}{15} \text{ (km)}$$

(트럭이 1분 동안 달리는 거리)

$$= \frac{3}{4} \div \frac{5}{6} = \frac{3}{\underset{2}{4}} \times \frac{\overset{3}{6}}{5} = \frac{9}{10} \text{ (km)}$$

❸ $1\frac{1}{15} > \frac{9}{10}$이므로 더 빨리 달린 것은 승용차이다.

답 승용차

16쪽

대표 문제 5

구 남은

주 $19\frac{1}{6}$, 15

해 ❶ (처음 양초의 길이)−(남은 양초의 길이)

$$= 19\frac{1}{6} - 15 = 4\frac{1}{6} \text{ (cm)}$$

답 $4\frac{1}{6}$ cm

❷ (남은 양초의 길이)÷(1시간 동안 탄 양초의 길이)

$$= 15 \div 4\frac{1}{6} = \overset{3}{15} \times \frac{6}{\underset{5}{25}} = \frac{18}{5} = 3\frac{3}{5} (\text{시간})$$

답 $3\frac{3}{5}$시간 $\left(= \frac{18}{5}$시간$\right)$

쌍둥이 문제 5-1

❶ (1시간 동안 탄 양초의 길이)

$$= 20\frac{2}{3} - 18 = 2\frac{2}{3} \text{ (cm)}$$

❷ 전략 처음 양초의 길이를 ❶에서 구한 길이로 나누자.

(처음에 불을 붙이고 나서부터 양초가 모두 타는 데까지 걸리는 시간)

$$= 20\frac{2}{3} \div 2\frac{2}{3} = \frac{62}{3} \div \frac{8}{3} = \frac{\overset{31}{62}}{3} \times \frac{3}{\underset{4}{8}} = \frac{31}{4} = 7\frac{3}{4} (\text{시간})$$

답 $7\frac{3}{4}$시간 $\left(= \frac{31}{4}$시간$\right)$

17쪽

대표 문제 6

해 ❶ 1−(축구를 좋아하는 남학생)

$$= 1 - \frac{3}{8} = \frac{5}{8}$$

답 $\frac{5}{8}$

❷ 식 $\square \times \frac{5}{8} = 275$

❸ $\square \times \frac{5}{8} = 275$,

$$\square = 275 \div \frac{5}{8} = \overset{55}{275} \times \frac{8}{\underset{1}{5}} = 440$$

➜ 세호네 학교 남학생은 모두 440명이다.

답 440명

쌍둥이 문제 6-1

❶ 남은 우유는 처음 병에 들어 있던 우유의

$$1 - \frac{2}{9} = \frac{7}{9}$$이다.

❷ 처음 병에 들어 있던 우유의 양을 $\square$ mL라 하면

$$\square \times \frac{7}{9} = 560$$이다.

❸ $\square = 560 \div \frac{7}{9} = \overset{80}{560} \times \frac{9}{\underset{1}{7}} = 720$

➜ 처음 병에 들어 있던 우유는 720 mL이다.

답 720 mL

3 STEP 수학 독해력 완성하기 18~21쪽

18쪽

독해 문제 1

어 ❶ 두 시간의 단위가 다르므로 발레를 한 시간은 몇 시간인지 기약분수로 나타낸 후

❷ 수영을 한 시간을 발레를 한 시간으로 나누어 구하자.

해 ❶ 45분 $= \frac{45}{60}$시간 $= \frac{3}{4}$시간

답 $\frac{3}{4}$시간

❷ (수영을 한 시간)÷(발레를 한 시간)

$$= 1\frac{1}{5} \div \frac{3}{4} = \frac{6}{5} \times \frac{4}{\underset{1}{3}} = \frac{8}{5} = 1\frac{3}{5} (\text{배})$$

답 $1\frac{3}{5}$배 $\left(= \frac{8}{5}$배$\right)$

13

독해 문제 | 2

구 만들 수 있는 기계의 수

주 • 기계 한 대를 만드는 데 걸리는 시간: $\frac{7}{8}$시간

• 기계를 만드는 전체 시간: 하루에 $3\frac{1}{8}$시간씩 7일

어 **1** 기계를 만드는 전체 시간을 구한 후

2 **1**에서 구한 시간을 기계 한 대를 만드는 데 걸리는 시간으로 나누어 구하자.

해 **1** (하루에 기계를 만드는 시간) × (날수)

$= 3\frac{1}{8} \times 7 = \frac{25}{8} \times 7 = \frac{175}{8} = 21\frac{7}{8}$(시간)

답 $21\frac{7}{8}$시간$\left(= \frac{175}{8}$시간$\right)$

2 (기계를 만드는 전체 시간)

÷(기계 한 대를 만드는 데 걸리는 시간)

$= 21\frac{7}{8} \div \frac{7}{8} = \frac{175}{8} \div \frac{7}{8} = 175 \div 7 = 25$(대)

답 **25대**

19쪽

독해 문제 | 3

구 몫이 가장 큰 나눗셈식과 그 계산 결과

어 몫이 가장 크게 되려면 나누어지는 수를 크게 해야 한다.

해 **1** 답 **크게**에 ○표

2 만들 수 있는 가장 큰 대분수: $8\frac{4}{5}$

➡ 몫이 가장 큰 나눗셈식:

$8\frac{4}{5} \div 1\frac{5}{6} = \frac{44}{5} \times \frac{6}{11} = \frac{24}{5} = 4\frac{4}{5}$

식 $8\boxed{\frac{4}{5}} \div 1\frac{5}{6}$ 답 $4\frac{4}{5}\left(= \frac{24}{5}\right)$

독해 문제 | 4

구 처음 공을 떨어뜨린 높이

주 • 공이 튀어 오르는 높이: 떨어진 높이의 $\frac{3}{5}$만큼

• 공이 두 번째로 튀어 오른 높이: 72 cm

어 **1** 처음 공을 떨어뜨린 높이를 ● cm라 하여 두 번째로 튀어 오른 높이를 식으로 쓰고

2 **1**에서 쓴 식에서 ●의 값을 구하여 답을 구하자.

해 **1** 답 $\frac{3}{5}$, $\frac{3}{5}$, $\frac{3}{5}$

2 $● \times \frac{3}{5} \times \frac{3}{5} = 72$

➡ $● = 72 \div \frac{3}{5} \div \frac{3}{5} = \overset{24}{\cancel{72}} \times \frac{5}{3} \times \frac{5}{3} = 200$

처음 공을 떨어뜨린 높이는 200 cm이다.

답 **200 cm**

독해 문제 | 4-1 정답에서 제공하는 **쌍둥이 문제**

떨어진 높이의 $\frac{3}{4}$만큼씩 튀어 오르는 공이 있습니다./ 이 공을 떨어뜨려 두 번째로 튀어 오른 높이가 63 cm일 때/ 처음 공을 떨어뜨린 높이는 몇 cm인가요?

구 처음 공을 떨어뜨린 높이

어 **1** 처음 공을 떨어뜨린 높이를 □ cm라 하여 두 번째로 튀어 오른 높이를 식으로 쓰고

2 **1**에서 쓴 식에서 □의 값을 구하여 답을 구하자.

해 **1** 첫 번째로 튀어 오른 높이: □ × $\frac{3}{4}$

두 번째로 튀어 오른 높이: □ × $\frac{3}{4} \times \frac{3}{4} = 63$

2 $□ = 63 \div \frac{3}{4} \div \frac{3}{4} = \overset{7}{\cancel{63}} \times \frac{4}{3} \times \frac{4}{3} = 112$

처음 공을 떨어뜨린 높이는 112 cm이다.

답 **112 cm**

20쪽

독해 문제 | 5

주 15, $9\frac{3}{8}$

해 **1** (처음 양초의 길이) − (남은 양초의 길이)

$= 15 - 9\frac{3}{8} = 5\frac{5}{8}$ (cm) 답 $5\frac{5}{8}$ cm

2 (탄 양초의 길이) ÷ (양초가 탄 시간)

$= 5\frac{5}{8} \div 1\frac{1}{2} = \frac{45}{8} \times \frac{2}{3} = \frac{15}{4} = 3\frac{3}{4}$ (cm)

답 $3\frac{3}{4}$ cm$\left(= \frac{15}{4}$ cm$\right)$

❸ 전략 남은 양초의 길이를 1시간 동안 타는 양초의 길이로 나누자.

(남은 양초의 길이)
÷(1시간 동안 타는 양초의 길이)

$= 9\frac{3}{8} \div 3\frac{3}{4} = \frac{\overset{5}{\cancel{75}}}{\underset{2}{\cancel{8}}} \times \frac{\overset{1}{\cancel{4}}}{\underset{1}{\cancel{15}}} = \frac{5}{2} = 2\frac{1}{2}$ (시간)

답 $2\frac{1}{2}$ 시간 $\left(= \frac{5}{2}$ 시간$\right)$

21쪽

독해 문제 | 6

구 전체

주 $\frac{1}{4}$, 42

해 ❶ 전략 어제 읽고 남은 부분을 1이라 할 때
(지금 남은 부분)=1−(오늘 읽은 부분)이다.

1−(오늘 읽은 부분)

$= 1 - \frac{1}{4} = \frac{3}{4}$

답 $\frac{3}{4}$

주의 어제 읽고 남은 부분의 몇 분의 몇인지 구해야 하므로 어제 읽고 남은 부분을 전체 1로 생각해야 한다.

❷ 어제 읽고 남은 쪽수를 □쪽이라 하면

$\square \times \frac{3}{4} = 42$ 이다.

➡ $\square = 42 \div \frac{3}{4} = (42 \div 3) \times 4 = 14 \times 4 = 56$

이므로 어제 읽고 남은 쪽수는 56쪽이다.

답 56쪽

❸ 전략 과학책 전체를 1이라 할 때
(어제 읽고 남은 부분)=1−(어제 읽은 부분)이다.

1−(어제 읽은 부분)

$= 1 - \frac{1}{3} = \frac{2}{3}$

답 $\frac{2}{3}$

주의 전체의 몇 분의 몇인지 구해야 하므로 과학책 전체를 1로 생각해야 한다.

❹ 과학책의 전체 쪽수를 ○쪽이라 하면

$\bigcirc \times \frac{2}{3} = 56$ 이다.

➡ $\bigcirc = 56 \div \frac{2}{3} = (56 \div 2) \times 3 = 28 \times 3 = 84$

이므로 과학책은 모두 84쪽이다.

답 84쪽

어머니께서 어제 설탕을 사서 전체의 $\frac{1}{5}$을 사용했고,/

오늘은 어제 사용하고 남은 양의 $\frac{1}{4}$을 사용했습니다./

지금 남은 설탕이 540 g일 때/

어머니께서 어제 산 설탕의 양은 몇 g인가요?

구 어제 산 설탕의 양

주 •어제 사용한 설탕의 양: 전체의 $\frac{1}{5}$

•오늘 사용한 설탕의 양:
어제 사용하고 남은 설탕 양의 $\frac{1}{4}$

•지금 남은 설탕의 양: 540 g

해 ❶ 어제 사용하고 남은 설탕의 양을 1이라 할 때
지금 남은 설탕의 양은 $1 - \frac{1}{4} = \frac{3}{4}$이다.

❷ 어제 사용하고 남은 설탕의 양을 □ g이라
하면 $\square \times \frac{3}{4} = 540$이다.

➡ $\square = 540 \div \frac{3}{4} = (540 \div 3) \times 4$
$= 180 \times 4 = 720$ (g)

어제 사용하고 남은 설탕의 양은 720 g이다.

❸ 어제 산 설탕의 양을 1이라 할 때 어제 사용
하고 남은 설탕의 양은 $1 - \frac{1}{5} = \frac{4}{5}$이다.

❹ 어제 산 설탕의 양을 △ g이라 하면

$\triangle \times \frac{4}{5} = 720$이다.

➡ $\triangle = 720 \div \frac{4}{5} = (720 \div 4) \times 5$
$= 180 \times 5 = 900$ (g)

답 900 g

STEP 4 창의 융합 코딩 체험하기   22~25쪽

22쪽

융합 ❶

2분음표의 길이는 온음표 길이의 $\frac{1}{2}$이고

16분음표의 길이는 온음표 길이의 $\frac{1}{16}$이다.

➡ $\frac{1}{2} \div \frac{1}{16} = \frac{8}{16} \div \frac{1}{16} = 8 \div 1 = 8$(배)

답 8배

창의 **2**

(금성에서 은서의 몸무게) $\div \dfrac{9}{10}$

$= 31\dfrac{1}{2} \div \dfrac{9}{10} = \dfrac{\overset{7}{\cancel{63}}}{\underset{1}{\cancel{2}}} \times \dfrac{\overset{5}{\cancel{10}}}{\underset{1}{\cancel{9}}} = 35\,(\text{kg})$ **답** ▶ **35 kg**

23쪽

융합 **3**

다영이네 집에서 학교까지 지도에서의 거리는 3 cm이다.

(다영이네 집에서 학교까지 실제 거리)

$= 3 \div \dfrac{1}{20000} = 3 \times 20000 = 60000\,(\text{cm})$

➡ 60000 cm $=$ 600 m   **답** ▶ **600 m**

참고

비 1:20000의 비율을 분수로 나타내면 $\dfrac{1}{20000}$이다.

코딩 **4**

(앞으로 한 칸 뛸 때 사용한 연료의 양)

$= 2\dfrac{2}{3} \div 5 = \dfrac{8}{3} \times \dfrac{1}{5} = \dfrac{8}{15}\,(\text{L})$

(앞으로 한 칸 걸을 때 사용한 연료의 양)

$= 3\dfrac{4}{15} \div 7 = \dfrac{\overset{7}{\cancel{49}}}{15} \times \dfrac{1}{\underset{1}{\cancel{7}}} = \dfrac{7}{15}\,(\text{L})$

➡ $\dfrac{8}{15} \div \dfrac{7}{15} = 8 \div 7 = \dfrac{8}{7} = 1\dfrac{1}{7}\,(\text{배})$

답 ▶ $1\dfrac{1}{7}$배$\left(= \dfrac{8}{7}$배$\right)$

24쪽

창의 **5**

(1) (강아지 3마리가 한 번에 먹는 사료의 양)

$= \dfrac{1}{3} + \dfrac{1}{15} + \dfrac{2}{5} = \dfrac{5}{15} + \dfrac{1}{15} + \dfrac{6}{15} = \dfrac{12}{15} = \dfrac{4}{5}\,(\text{kg})$

(강아지 3마리가 하루에 먹는 사료의 양)

$= \dfrac{4}{5} \times 3 = \dfrac{12}{5} = 2\dfrac{2}{5}\,(\text{kg})$ **답** $2\dfrac{2}{5}$ kg$\left(= \dfrac{12}{5}$ kg$\right)$

(2) (강아지 3마리에게 사료를 줄 수 있는 날수)

$= 12 \div 2\dfrac{2}{5} = 12 \div \dfrac{12}{5} = (12 \div 12) \times 5 = 5\,(\text{일})$

답 ▶ **5일**

(3) 9월 1일 아침부터 사 온 사료를 주고 5일 동안 먹게 되므로 강아지 3마리가 사 온 사료를 마지막으로 먹게 되는 때는 9월 5일이다. **답** ▶ **9월 5일**

25쪽

코딩 **6**

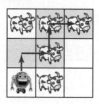

로봇이 명령을 실행하였을 때 이동한 칸 중 젖소가 있는 칸은 3개이다.

(로봇이 모은 우유의 양)

$= 2\dfrac{2}{5} \times 3 = \dfrac{12}{5} \times 3 = \dfrac{36}{5} = 7\dfrac{1}{5}\,(\text{L})$

(우유를 담을 수 있는 병의 수)

$= 7\dfrac{1}{5} \div \dfrac{4}{5} = \dfrac{36}{5} \div \dfrac{4}{5} = 36 \div 4 = 9\,(\text{개})$ **답** ▶ **9개**

융합 **7**

혈액의 무게는 몸무게의 약 $\dfrac{2}{25}$이고 우진이의 혈액의 무게는 약 4 kg이다.

우진이의 몸무게를 약 □ kg이라 하면 $\square \times \dfrac{2}{25} = 4$이다.

➡ $\square = 4 \div \dfrac{2}{25} = (4 \div 2) \times 25 = 2 \times 25 = 50$이므로 우진이의 몸무게는 약 50 kg이다.   **답** ▶ **50 kg**

종합평가 실전 **마무리** 하기   **26~29쪽**

26쪽

1 전략 (간 거리)÷(걸린 시간)

(1분 동안 갈 수 있는 거리)

$= \dfrac{9}{20} \div \dfrac{1}{4} = \dfrac{9}{20} \div \dfrac{5}{20} = 9 \div 5 = \dfrac{9}{5} = 1\dfrac{4}{5}\,(\text{km})$

답 $1\dfrac{4}{5}$ km$\left(= \dfrac{9}{5}$ km$\right)$

2 ❶ (전체 밀가루의 양)

$\div$ (빵 한 개를 만드는 데 필요한 밀가루의 양)

$= 6 \div \dfrac{4}{5} = \overset{3}{\cancel{6}} \times \dfrac{5}{\underset{2}{\cancel{4}}} = \dfrac{15}{2} = 7\dfrac{1}{2}\,(\text{배})$

❷ 빵을 7개까지 만들 수 있다.   **답** ▶ **7개**

3 ❶ 전략 60분=1시간이므로 1분$= \dfrac{1}{60}$시간임을 이용하자.

(영어 숙제를 한 시간)

$= 50$분 $= \dfrac{50}{60}$시간 $= \dfrac{5}{6}$시간

❷ (수학 숙제를 한 시간)÷(영어 숙제를 한 시간)

$$=1\frac{1}{3}\div\frac{5}{6}=\frac{4}{3}\times\frac{\overset{2}{6}}{5}=\frac{8}{5}=1\frac{3}{5}(배)$$

답 $1\dfrac{3}{5}$배$\left(=\dfrac{8}{5}\text{배}\right)$

27쪽

4 ❶ (인형을 만드는 전체 시간)
$$=6\times7=42(시간)$$

❷ (만들 수 있는 인형의 수)
$$=42\div\frac{3}{10}=(42\div3)\times10$$
$$=14\times10=140(개)$$

답 **140개**

다르게 풀기

❶ (한 사람이 하루에 만드는 인형의 수)
$$=6\div\frac{3}{10}=(6\div3)\times10=2\times10=20(개)$$

❷ (일주일 동안 만들 수 있는 인형의 수)
$$=20\times7=140(개)$$

답 **140개**

5 ❶ (길 한쪽에 심는 꽃 사이 간격의 수)
$$=7\frac{1}{5}\div\frac{3}{10}=\frac{\overset{12}{36}}{\underset{1}{5}}\times\frac{\overset{2}{10}}{\underset{1}{3}}=24(군데)$$

❷ 전략 꽃의 수는 꽃 사이 간격의 수보다 1 크다.
(길 한쪽에 심는 데 필요한 꽃의 수)
$$=24+1=25(송이)$$

❸ (길 양쪽에 심는 데 필요한 꽃의 수)
$$=25\times2=50(송이)$$

답 **50송이**

6 ❶ 전략 $12\div\dfrac{6}{\square}$을 곱셈식으로 간단히 나타내자.
$$12\div\frac{6}{\square}=(12\div6)\times\square=2\times\square$$

❷ $\dfrac{18}{25}\div\dfrac{2}{25}=18\div2=9$

❸ $3<2\times\square<9$
➜ $\square$ 안에 들어갈 수 있는 자연수는 2, 3, 4이다.

답 **2, 3, 4**

28쪽

7 ❶ (양초가 탄 시간)$=1\dfrac{3}{8}$시간

❷ (탄 양초의 길이)$=16\dfrac{1}{3}-9=7\dfrac{1}{3}$ (cm)

❸ 전략 (탄 양초의 길이)÷(양초가 탄 시간)
(1시간 동안 타는 양초의 길이)
$$=7\frac{1}{3}\div1\frac{3}{8}=\frac{\overset{2}{22}}{3}\times\frac{8}{\underset{1}{11}}=\frac{16}{3}=5\frac{1}{3}\text{ (cm)}$$

답 $5\dfrac{1}{3}$ cm$\left(=\dfrac{16}{3}\text{ cm}\right)$

8 ❶ 몫이 가장 작은 나눗셈식을 만들려면 나누어지는 수를 가장 작게 만들어야 한다.

❷ 만들 수 있는 가장 작은 대분수: $2\dfrac{4}{7}$

❸ 몫이 가장 작은 나눗셈식:

$$2\frac{4}{7}\div1\frac{1}{5}=\frac{\overset{3}{18}}{7}\times\frac{5}{\underset{1}{6}}=\frac{15}{7}=2\frac{1}{7}$$

식 $2\dfrac{\boxed{4}}{\boxed{7}}\div1\dfrac{1}{5}$ 답 $2\dfrac{1}{7}\left(=\dfrac{15}{7}\right)$

29쪽

9 ❶ 같은 양의 삼겹살을 살 때 더 저렴한 가게는 삼겹살 1 kg의 가격이 더 싼 가게이다.

❷ 전략 (삼겹살 1 kg의 가격)
$\qquad$=(삼겹살의 가격)÷(삼겹살의 무게)
(가 정육점의 삼겹살 1 kg의 가격)
$$=6000\div\frac{2}{5}=(6000\div2)\times5=15000(원)$$
(나 정육점의 삼겹살 1 kg의 가격)
$$=10500\div\frac{3}{4}=(10500\div3)\times4=14000(원)$$

❸ $15000>14000$이므로 나 정육점에서 사는 것이 더 저렴하다.

답 **나 정육점**

10 ❶ 전략 전체 학생 수를 1이라 할 때
(여름에 태어나지 않은 학생 수)
$\qquad$=1-(여름에 태어난 학생 수)

여름에 태어나지 않은 학생 수는 전체 학생 수의
$$1-\frac{3}{11}=\frac{8}{11}이다.$$

❷ 전체 학생 수를 $\square$명이라 하면 $\square\times\dfrac{8}{11}=296$이다.

❸ $\square=296\div\dfrac{8}{11}=(296\div8)\times11$
$$=37\times11=407$$
➜ 주연이네 학교 학생은 모두 407명이다.

답 **407명**

2 소수의 나눗셈

 한 이야기 30~31쪽

$0.12 \div 0.04 = 3$, 3

STEP 1 문제 **해결력** 기르기 32~37쪽

32쪽

선행 문제 1

(1) 1.5, 1.5 / 20 (2) 30, 30 / 0.05

실행 문제 1

❶ 3.1, 5.6

❷ 5.6, 44.8   답 44.8 kg

쌍둥이 문제 1-1

❶ 전략 (철근 60 kg의 길이)÷(철근의 무게)

(철근 1 kg의 길이)
$=4.8 \div 60 = 0.08$ (m)

❷ 전략 (철근 1 kg의 길이)×100

(철근 100 kg의 길이)
$=0.08 \times 100 = 8$ (m)   답 8 m

33쪽

선행 문제 2

(1) 24, 2.8 / 2.8 (2) 3, 18, 1.2 / 3, 1.2

실행 문제 2

❶ 17.3, 2

❷ 8, 16, 1.3   답 8명, 1.3 L

쌍둥이 문제 2-1

❶ 전략 (전체 리본의 길이)÷(학생 한 명에게 줄 리본의 길이)

문제에 알맞은 나눗셈식 세우기: $57.5 \div 10$

❷ 전략 ❶에서 세운 나눗셈식의 몫을 자연수 부분까지 구하자.

$$\begin{array}{r} 5 \\ 10{\overline{\smash{\big)}\,57.5}} \\ \underline{50} \\ 7.5 \end{array}$$

답 5명, 7.5 m

34쪽

선행 문제 3

(1) 18.2, 7, 7 (2) 3.5, 3.5, 0.42, 0.42

실행 문제 3

❶ 2.7, 8.64

❷ 2.7, 3.2, 3.2

❸ 3.2, 4   답 4

쌍둥이 문제 3-1

❶ 전략 '어떤 수를 1.4로 나누었더니 6.5가 되었다.'를 식으로 쓰자.

어떤 수를 □라 하여 식 쓰기: $□ \div 1.4 = 6.5$

❷ 전략 ❶에서 쓴 식을 곱셈식으로 바꾸어 □의 값을 구하자.

$□ = 6.5 \times 1.4 = 9.1$
➡ 어떤 수: 9.1

❸ 어떤 수를 0.7로 나눈 몫: $9.1 \div 0.7 = 13$ 답 13

35쪽

선행 문제 4

(1) 60, 4, 8.4 (2) 60, 8, 5.8

실행 문제 4

❶ $\dfrac{36}{60}$, 6, 1.6

❷ 1.6, 7   답 7 cm

쌍둥이 문제 4-1

❶ 전략 희재가 걸은 시간을 시간 단위로 바꾸어 소수로 나타내자.

2시간 12분$= 2\dfrac{12}{60}$시간$= 2\dfrac{2}{10}$시간$= 2.2$시간

❷ 전략 (걸은 거리)÷(걸은 시간)

(1시간 동안 걸은 거리)
$=5.06 \div 2.2 = 2.3$ (km)   답 2.3 km

36쪽

선행 문제 5

(1) 3 (2) 7, 2, 7, 2 / 7, 2

실행 문제 5

❶ 8, 5, 1, 8, 5, 1

❷ 8, 5, 1

❸ 2, 5   답 5

쌍둥이 문제 5-1

❶ $18 \div 4.4 = 4.090909\cdots\cdots$

❷ [전략] 몫의 소수점 아래 자리 수에서 규칙을 찾아보자.

몫의 소수 첫째 자리부터 숫자 0, 9가 반복된다.

❸ [전략] 15를 반복되는 숫자의 개수로 나누어 소수 15째 자리에 오는 숫자를 구하자.

$15 \div 2 = 7 \cdots 1$이므로 몫의 소수 15째 자리 숫자는 소수 첫째 자리 숫자와 같은 0이다. 　[답] **0**

37쪽

선행 문제 6

1.29, 0.14, 1.43

실행 문제 6

❶ 5.7, 0.12, 5.82

❷ 5.82, 3 　[답] **3분**

쌍둥이 문제 6-1

❶ [전략] (다리 길이)＋(전철 길이)

(다리를 완전히 지나는 데 달리는 거리)
$=514+200=714$ (m)

❷ [전략] (다리를 완전히 지나는 데 달리는 거리)
$\div$ (1초 동안 달리는 거리)

(다리를 완전히 지나는 데 걸리는 시간)
$=714 \div 20.4 = 35$ (초) 　[답] **35초**

STEP 2 수학 사고력 키우기 　38〜43쪽

38쪽

대표 문제 ❶

[구] 30

[해] ❶ (휘발유 1 L로 갈 수 있는 거리)
$=$ (가는 거리)$\div$(넣는 휘발유의 양)
$=27.82 \div 2.14 = 13$ (km) 　[답] **13 km**

[참고]
(휘발유 2.14 L로 갈 수 있는 거리)$=27.82$ km
$\downarrow \div 2.14 \qquad\qquad \downarrow \div 2.14$
(휘발유 1 L로 갈 수 있는 거리)$=13$ km

❷ (휘발유 30 L로 갈 수 있는 거리)
$=$ (휘발유 1 L로 갈 수 있는 거리)$\times 30$
$=13 \times 30 = 390$ (km) 　[답] **390 km**

쌍둥이 문제 1-1

[구] 16 m^2의 벽을 칠하는 데 필요한 페인트의 양

[주] 3.5 m^2의 벽을 칠하는 데 사용한 페인트의 양: 8.75 L

[어] 16 m^2의 벽을 칠하는 데 필요한 페인트의 양을 구하려면 1 m^2의 벽을 칠하는 데 필요한 페인트의 양을 먼저 구해야 한다.

❶ [전략] (사용한 페인트의 양)$\div$(칠한 벽의 넓이)

(1 m^2의 벽을 칠하는 데 필요한 페인트의 양)
$=8.75 \div 3.5 = 2.5$ (L)

❷ [전략] ❶에서 구한 페인트의 양에 16을 곱하자.

(16 m^2의 벽을 칠하는 데 필요한 페인트의 양)
$=2.5 \times 16 = 40$ (L)

[답] **40 L**

39쪽

대표 문제 ❷

[해] ❶
$$
\begin{array}{r}
6 \\
4\overline{)25.8} \\
24 \\
\hline
1.8
\end{array}
$$
→ 나누어 줄 수 있는 가구 수
→ 남는 간장의 양

[답] **6가구, 1.8 L**

[주의] 나누어 줄 수 있는 가구 수는 자연수이므로 나눗셈의 몫은 자연수 부분까지만 구해야 한다.

❷ 한 가구에 4 L씩 나누어 주므로 남는 간장도 나누어 주려면 더 필요한 간장은 적어도
$4-1.8=2.2$ (L)이다.

[답] **2.2 L**

쌍둥이 문제 2-1

[구] 남김없이 모두 나누어 담기 위해 더 필요한 최소한의 밀가루의 양

[주] •전체 밀가루의 양: 29.4 kg
•봉지 한 개에 나누어 담는 밀가루의 양: 3 kg

[어] ❶ 밀가루를 봉지 한 개에 3 kg씩 나누어 담을 때 나누어 담을 수 있는 봉지 수와 남는 밀가루의 양을 각각 구하고,

❷ 남는 밀가루도 봉지에 나누어 담기 위해 더 필요한 밀가루의 양을 구하자.

① 전략 나눗셈의 몫을 자연수 부분까지 구하자.

$$
\begin{array}{r}
9 \\
3\overline{\smash{)}\,29.4} \\
27 \\
\hline
2.4
\end{array}
$$
➡ 나누어 담을 수 있는 봉지 수: 9개
남는 밀가루의 양: 2.4 kg

② 전략 (봉지 한 개에 나누어 담는 밀가루의 양)
－(남는 밀가루의 양)

남는 밀가루도 봉지에 담으려면 더 필요한 밀가루는
적어도 $3-2.4=0.6$ (kg)이다. 답 **0.6 kg**

40쪽

대표 문제 **3**

주 1.6, 45

해 **①** 식 $\square \div 1.6=45$

② $\square \div 1.6=45$
➡ $\square=45 \times 1.6=72$이므로 어떤 수는 72이다. 답 **72**

③ 바르게 계산한 값: $72 \div 0.6=120$ 답 **120**

쌍둥이 문제 **3-1**

구 바르게 계산한 값
주 잘못하여 어떤 수에 0.9를 곱했더니 12.42가 됨.

① 어떤 수를 $\square$라 하여 잘못 계산한 곱셈식 쓰기:
$\square \times 0.9=12.42$

② 전략 **①**에서 쓴 곱셈식을 나눗셈식으로 바꾸어 $\square$의 값을
구하자.
$\square=12.42 \div 0.9=13.8$ ➡ 어떤 수: 13.8

③ 전략 (어떤 수)$\div 2.3$
바르게 계산한 값: $13.8 \div 2.3=6$ 답 **6**

41쪽

대표 문제 **4**

구 30   주 21.2

해 **①** (호스에서 1분 동안 나온 물의 양)
$=$(나온 물의 양)$\div$(물이 나온 시간)
$=21.2 \div 5.3=4$ (L) 답 **4 L**

② 3분 30초$=3\dfrac{30}{60}$분$=3\dfrac{5}{10}$분$=3.5$분 답 **3.5분**

③ (호스에서 3분 30초 동안 나온 물의 양)
$=$(1분 동안 나온 물의 양)$\times 3.5$
$=4 \times 3.5=14$ (L) 답 **14 L**

쌍둥이 문제 **4-1**

구 수도에서 2시간 24분 동안 나온 물의 양
주 수도에서 2.8시간 동안 나온 물의 양: 560 L

① 전략 (나온 물의 양)$\div$(물이 나온 시간)
(1시간 동안 나온 물의 양)
$=560 \div 2.8=200$ (L)

② 전략 2시간 24분을 시간 단위로 바꾸어 소수로 나타내자.
2시간 24분$=2\dfrac{24}{60}$시간$=2\dfrac{4}{10}$시간$=2.4$시간

③ 전략 (1시간 동안 나온 물의 양)$\times$(**②**에서 구한 시간)
(2시간 24분 동안 나온 물의 양)
$=200 \times 2.4=480$ (L) 답 **480 L**

42쪽

대표 문제 **5**

어 **1** 몫의 소수점 아래 자리 수에서 반복되는 규칙을
찾고,
2 소수 10째, 11째 자리 숫자를 찾은 다음,
3 반올림했을 때 소수 10째 자리 숫자를 구하자.

해 **①** $8.8 \div 12.1=0.727272\cdots\cdots$
답 **0.727272……**

② 몫의 소수 첫째 자리부터 숫자 7, 2가 반복된다.
➡ 소수 10째 자리 숫자: 2
소수 11째 자리 숫자: 7 답 **2, 7**

③ 소수 11째 자리 숫자가 7이므로 올림하여 소수
10째 자리까지 나타내면 소수 10째 자리 숫자는
3이다. 답 **3**

쌍둥이 문제 **5-1**

① $15 \div 2.2=6.818181\cdots\cdots$

② 전략 몫의 소수점 아래 자리 수에서 규칙을 찾자.
몫의 소수 첫째 자리부터 숫자 8, 1이 반복되므로
소수 25째 자리 숫자는 8이고, 소수 26째 자리 숫자
는 1이다.

③ 전략 소수 26째 자리에서 반올림하자.
몫을 반올림하여 소수 25째 자리까지 나타내었을 때
소수 25째 자리 숫자는 8이다. 답 **8**

참고 소수 26째 자리 숫자가 1이므로 버림하여 소수 25째
자리까지 나타내면 소수 25째 자리 숫자는 8이다.

43쪽

대표 문제 6

주 150, 1.36

해 ❶ (기차 길이)=150 m=0.15 km

답 0.15 km

❷ (터널을 완전히 지나는 데 달리는 거리)
=(터널 길이)+(기차 길이)
=8.01+0.15=8.16 (km) 답 8.16 km

❸ (터널을 완전히 지나는 데 걸리는 시간)
=(터널을 완전히 지나는 데 달리는 거리)
÷(1분 동안 달리는 거리)
=8.16÷1.36=6(분) 답 6분

쌍둥이 문제 6-1

구 지하 터널을 완전히 지나는 데 걸리는 시간

주 •지하 터널의 길이: 11.07 km
•지하철 길이: 180 m
•지하철의 빠르기: 1분 동안 1.25 km를 감.

❶ 전략 지하철 길이를 km 단위로 바꾸자.
(지하철 길이)=180 m=0.18 km

참고 1 m=0.001 km, 1 km=1000 m

❷ 전략 (지하 터널 길이)+(지하철 길이)
(지하 터널을 완전히 지나는 데 달리는 거리)
=11.07+0.18=11.25 (km)

❸ 전략 (❷에서 구한 거리)÷(1분 동안 달리는 거리)
(지하 터널을 완전히 지나는 데 걸리는 시간)
=11.25÷1.25=9(분) 답 9분

3 STEP 수학 독해력 완성하기 44~47쪽

44쪽

독해 문제 1

주 •처음 용수철 길이: 4.65 cm
•늘어난 용수철 길이: 9.3 cm

어 ❶ 늘어난 후의 용수철 길이를 구하고,
❷ 나눗셈을 하여 늘어난 후의 용수철 길이는 처음
용수철 길이의 몇 배인지 구하자.

해 ❶ (늘어난 후의 용수철 길이)
=(처음 용수철 길이)+(늘어난 용수철 길이)
=4.65+9.3=13.95 (cm)

답 13.95 cm

❷ 전략 (❶에서 구한 길이)÷(처음 용수철 길이)
(늘어난 후의 용수철 길이)÷(처음 용수철 길이)
=13.95÷4.65=3(배)

답 3배

독해 문제 1-1 정답에서 제공하는 쌍둥이 문제

길이가 3.94 cm인 용수철에 추를 매달았더니/
처음 길이보다 11.82 cm만큼 늘어났습니다./
늘어난 후의 용수철 길이는/ 처음 용수철 길이의 몇
배인지 구해 보세요.

어 ❶ 늘어난 후의 용수철 길이를 구하고,
❷ 나눗셈을 하여 늘어난 후의 용수철 길이는
처음 용수철 길이의 몇 배인지 구하자.

해 ❶ (늘어난 후의 용수철 길이)
=3.94+11.82=15.76 (cm)

❷ (늘어난 후의 용수철 길이)
÷(처음 용수철의 길이)
=15.76÷3.94=4(배) 답 4배

독해 문제 2

구 몫이 가장 큰 나눗셈식과 그 계산 결과

어 몫이 가장 큰 나눗셈식:
(가장 큰 수)÷(가장 작은 수)

해 ❶ 답 크게에 ○표, 작게에 ○표

❷ 나누어지는 수
➜ 만들 수 있는 가장 큰 소수 두 자리 수: 9.76
나누는 수
➜ 만들 수 있는 가장 작은 소수 한 자리 수: 0.4

답 9.76, 0.4

참고 수 카드로 가장 큰 소수를 만들 때 수 카드의 수를 큰 순
서대로 나열한 뒤 높은 자리부터 차례대로 놓는다.

7, 4, 9, 6 ➜ 9>7>6>4

만들 수 있는 가장 큰 소수 □.□□ ➜ 9.76

❸ 몫이 가장 큰 나눗셈식: 9.76÷0.4=24.4

식 9.76÷0.4 답 24.4

독해 문제 | 2-1

정답에서 제공하는 쌍둥이 문제

수 카드  을 □ 안에 한 번씩만 써 넣어/

몫이 가장 큰 나눗셈식을 만들고 계산해 보세요.

$$\boxed{}.\boxed{}\boxed{}÷0.\boxed{}$$

해 ❶ 몫이 가장 큰 나눗셈식을 만들려면 나누어지는 수는 가장 크게, 나누는 수는 가장 작게 만들어야 한다.

❷ 나누어지는 수 ➡ 8.64, 나누는 수 ➡ 0.2

❸ 몫이 가장 큰 나눗셈식: 8.64÷0.2=43.2

식 8.64÷0.2 답 43.2

45쪽

독해 문제 | 3

주 기호의 규칙: 가 ◆ 나=(가-나)÷나

어 ❶ 기호의 규칙에 따라 식을 써서 19.5 ◆ 1.5를 먼저 계산하고,

❷ (❶에서 구한 값) ◆ 0.6을 계산하자.

해 ❶ 식 (19.5-1.5)÷1.5

❷ 19.5 ◆ 1.5=(19.5-1.5)÷1.5
=18÷1.5=12 답 12

❸ (19.5 ◆ 1.5) ◆ 0.6=12 ◆ 0.6
=(12-0.6)÷0.6
=11.4÷0.6=19 답 19

독해 문제 | 3-1

정답에서 제공하는 쌍둥이 문제

가 ▲ 나=(가+나)÷가일 때/

다음을 계산해 보세요.

$$(2.6 ▲ 1.04) ▲ 5.6$$

어 ❶ 2.6 ▲ 1.04를 먼저 계산하고,

❷ (❶에서 구한 값) ▲ 5.6을 계산하자.

해 ❶ 2.6 ▲ 1.04=(2.6+1.04)÷2.6
=3.64÷2.6=1.4

❷ (2.6 ▲ 1.04) ▲ 5.6=1.4 ▲ 5.6
=(1.4+5.6)÷1.4
=7÷1.4=5 답 5

독해 문제 | 4

구 도로 양쪽에 심은 나무의 수

주 •도로의 길이: 201.4 m

•나무 사이의 간격: 3.8 m

어 ❶ 도로 한쪽에 심은 나무 사이의 간격 수를 구하여 심은 나무의 수를 구하고,

❷ ❶에서 구한 나무의 수에 2를 곱하자.

해 ❶ (도로 한쪽에 심은 나무 사이의 간격 수)
=(도로의 길이)÷(나무 사이의 간격)
=201.4÷3.8=53(군데) 답 53군데

❷ (도로 한쪽에 심은 나무의 수)
=(나무 사이의 간격 수)+1
=53+1=54(그루) 답 54그루

❸ (도로 양쪽에 심은 나무의 수)
=(도로 한쪽에 심은 나무의 수)×2
=54×2=108(그루) 답 108그루

주의 도로 양쪽에 나무를 심었으므로 도로 한쪽에 심은 나무의 수의 2배를 구해야 한다.

독해 문제 | 4-1

정답에서 제공하는 쌍둥이 문제

길이가 182.5 m인 도로 양쪽에/

처음부터 끝까지 7.3 m 간격으로 가로등을 세웠습니다./

세운 가로등은 모두 몇 개인지 구해 보세요./

(단, 가로등의 두께는 생각하지 않습니다.)

구 도로 양쪽에 세운 가로등의 수

주 •도로의 길이: 182.5 m

•가로등 사이의 간격: 7.3 m

어 ❶ 도로 한쪽에 세운 가로등 사이의 간격 수를 구하여 세운 가로등의 수를 구하고,

❷ ❶에서 구한 가로등의 수에 2를 곱하자.

해 ❶ (도로 한쪽에 세운 가로등 사이의 간격 수)
=182.5÷7.3=25(군데)

❷ (도로 한쪽에 세운 가로등의 수)
=25+1=26(개)

❸ (도로 양쪽에 세운 가로등의 수)
=26×2=52(개) 답 52개

46쪽

독해 문제 | 5

주 40.5, 6

해 ❶ (과자를 만들려고 산 버터의 양)
　 =(버터 한 조각의 양)×(버터 조각의 수)
　 =40.5×3=121.5 (g)　　답 **121.5 g**

❷
$$
\begin{array}{r}
2\,0 \longrightarrow \text{만들 수 있는 과자 수}\\
6\,)\overline{1\,2\,1.5}\\
\underline{1\,2\,0}\\
1.5 \longrightarrow \text{남는 버터의 양}
\end{array}
$$
답 **20개, 1.5 g**

❸ 과자 한 개를 만드는 데 버터 6 g이 필요하므로
더 필요한 버터는 적어도 6-1.5=4.5 (g)이다.
답 **4.5 g**

47쪽

독해 문제 | 6

주 4.15, 9

해 ❶ 전략 1 m=0.001 km임을 이용하여 km 단위로 바꾸자.
　 (기차 길이)=130 m=0.13 km　답 **0.13 km**

❷ (다리를 완전히 지나는 데 달리는 거리)
　 =4.15+0.13=4.28 (km)　답 **4.28 km**

❸ 전략 9분 동안 가는 거리를 9로 나누자.
　 (1분 동안 달리는 거리)
　 =9.63÷9=1.07 (km)　답 **1.07 km**

❹ (다리를 완전히 지나는 데 걸리는 시간)
　 =4.28÷1.07=4(분)　답 **4분**

STEP 4 창의 융합 코딩 체험하기　　**48~51쪽**

48쪽

융합 ❶

(지구의 공전 주기)÷(금성의 공전 주기)
=1÷0.6=1.66……
➡ 반올림하여 소수 첫째 자리까지 나타내면 1.7이다.
답 **1.7배**

참고 1.66……에서 소수 둘째 자리 숫자가 6이므로 올림하여
소수 첫째 자리까지 나타내면 1.7이다.

창의 ❷

(A 마트에서 파는 1 L짜리 샴푸의 가격)=18000원
(B 마트에서 파는 샴푸 1 L당 가격)
=(샴푸의 가격)÷(샴푸의 양)
=14000÷0.7=20000(원)
➡ 18000<20000이므로 같은 양의 샴푸를 살 때 A 마
트에서 더 싸게 살 수 있다.　답 **A 마트**

49쪽

창의 ❸

(전체 사과의 양)÷(선물 세트 한 개에 담는 사과의 양)
=38÷2.3=16.5……
(전체 배의 양)÷(선물 세트 한 개에 담는 배의 양)
=70÷4.5=15.5……
사과는 선물 세트를 16개까지 만들 수 있는 양이고, 배
는 선물 세트를 15개까지 만들 수 있는 양이므로 주어진
사과와 배로 선물 세트를 15개까지 만들 수 있다.
답 **15개**

코딩 ❹

로봇이 명령을 실행하였을 때 얻는 아이템은
이다.
로봇의 포인트: 10+10=20
　　➡ 20+10=30
　　➡ 30+10=40
　　➡ 40÷2.5=16　　답 **16**

50쪽

코딩 ❺

43.2 w만큼 충전했으므로 43.2÷4.8=9(칸)을 움직
일 수 있다. ➡ 로봇 청소기가 움직이는 방향으로 9칸
움직인 위치에 색칠한다.
답
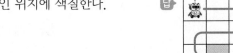

코딩 **6**

67.2 w만큼 충전했으므로 67.2÷4.8=14(칸)을 움직일 수 있다. ➡ 로봇 청소기가 움직이는 방향으로 14칸 움직인 위치에 색칠한다.

답

51쪽

창의 **7**

(밭의 둘레)=(30+25.2)×2
　　　　　　=55.2×2=110.4 (m)
(밭의 둘레를 따라 한 바퀴 도는 데 걸리는 시간)
=(밭의 둘레)÷(1분 동안 갈 수 있는 거리)
=110.4÷9.2=12(분)

답 **12분**

융합 **8**

(윤우의 체질량지수)
=54÷(1.5×1.5)=54÷2.25=24
➡ 체질량지수가 23 이상 25 미만에 속하므로 과체중이다.

답 **과체중**

종합평가 실전 마무리 하기　52~55쪽

52쪽

1 (테니스 공의 무게)÷(탁구공의 무게)
　=56.7÷2.7=21(배)

답 **21배**

참고

■는 ▲의 몇 배 ➡ ■÷▲(배)

2 ❶ 전략 (전체 고구마의 양)÷(상자 한 개에 담을 고구마의 양)
문제에 알맞은 나눗셈식 세우기: 17.3÷2
❷ 전략 ❶에서 세운 나눗셈식의 몫을 자연수 부분까지 구하자.

$$\begin{array}{r} 8 \\ 2\overline{)1\,7.3} \\ 1\,6 \\ \hline 1.3 \end{array}$$

답 **8개, 1.3 kg**

주의

나누어 담을 수 있는 상자 수는 자연수이므로 나눗셈의 몫은 자연수 부분까지만 구해야 한다.

3 ❶ 전략 (가는 거리)÷(넣는 연료의 양)
(연료 1 L로 갈 수 있는 거리)
=12.75÷0.85=15 (km)
❷ 전략 (❶에서 구한 거리)×20
(연료 20 L로 갈 수 있는 거리)
=15×20=300 (km)

답 **300 km**

53쪽

4 ❶ 어떤 수를 □라 하여 잘못 계산한 곱셈식 쓰기:
□×1.4=17.64
❷ 전략 ❶에서 쓴 곱셈식을 나눗셈식으로 바꾸어 □의 값을 구하자.
□=17.64÷1.4=12.6
➡ 어떤 수: 12.6
❸ 전략 (어떤 수)÷1.4
바르게 계산한 값:
12.6÷1.4=9

답 **9**

5 ❶ 전략 (도로의 길이)÷(나무 사이의 간격)
(나무 사이의 간격 수)
=108÷4.5=24(군데)
❷ 전략 (나무 사이의 간격 수)+1
(심은 나무의 수)
=24+1=25(그루)

답 **25그루**

주의

도로에 처음부터 끝까지 나무를 심었으므로
(심은 나무의 수)=(나무 사이의 간격 수)+1이다.

6 ❶ 전략 (나온 물의 양)÷(물이 나온 시간)
(1분 동안 수도에서 나온 물의 양)
=24.6÷8.2=3 (L)
❷ 전략 5분 42초를 분 단위로 바꾸어 소수로 나타내자.

5분 42초=$5\frac{42}{60}$ 분=$5\frac{7}{10}$ 분=5.7분

참고

1초=$\frac{1}{60}$분이므로 42초=$\frac{42}{60}$분이다.

❸ 전략 (1분 동안 나온 물의 양)×(❷에서 구한 시간)
(5분 42초 동안 나온 물의 양)
=3×5.7=17.1 (L)

답 **17.1 L**

7 ❶ 몫이 가장 작은 나눗셈식을 만들려면 나누어지는 수는 가장 작게, 나누는 수는 가장 크게 만들어야 한다.

❷ 나누어지는 수: 23.4
나누는 수: 1.8

> 참고 수 카드로 가장 작은 소수를 만들 때 수 카드의 수를 작은 순서대로 나열한 뒤 높은 자리부터 차례대로 놓는다.
> ③ , ⑧ , ④ , ② ➡ 2<3<4<8
> 만들 수 있는 가장 작은 소수 □□.□ ➡ 23.4

❸ 몫이 가장 작은 나눗셈식: 23.4÷1.8=13
식 ② ③ . ④ ÷ ① . ⑧ 답 13

8 ❶ 전략 가★나=가÷0.7+나에서 가에 11.2를, 나에 1.5를 넣어 식을 쓰자.
11.2 ★ 1.5=11.2÷0.7+1.5
　　　　　=16+1.5=17.5

❷ (11.2 ★ 1.5) ★ 8=17.5 ★ 8
　　　　　　　　=17.5÷0.7+8
　　　　　　　　=25+8=33 답 33

9 ❶ 4.3÷0.6=7.166666……

❷ 전략 몫의 소수점 아래 자리 수에서 규칙을 찾자.
몫의 소수 둘째 자리부터 숫자 6이 반복되므로 소수 30째 자리 숫자는 6이고, 소수 31째 자리 숫자도 6이다.

❸ 전략 소수 31째 자리에서 반올림하자.
몫을 반올림하여 소수 30째 자리까지 나타내었을 때 소수 30째 자리 숫자는 7이다. 답 7

10 ❶ 전략 1 m=0.001 km임을 이용하여 km 단위로 바꾸자.
(기차 길이)=160 m=0.16 km

❷ 전략 (터널 길이)+(기차 길이)
(터널을 완전히 지나는 데 달리는 거리)
=8.84+0.16=9 (km)

❸ 전략 (터널을 완전히 지나는 데 달리는 거리)
　　　÷(1분 동안 달리는 거리)
(터널을 완전히 지나는 데 걸리는 시간)
=9÷1.8=5(분) 답 5분

3 공간과 입체

FUN한 기억 노트

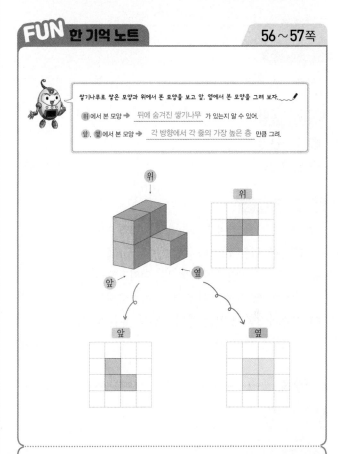

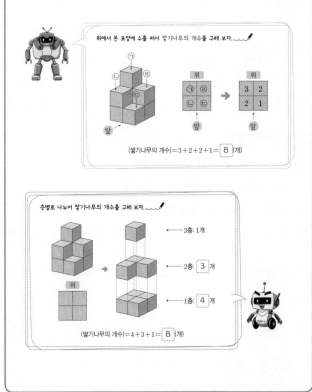

STEP 1 문제 해결력 기르기 58~63쪽

58쪽

선행 문제 1

(1) 4 (2) 2

실행 문제 1

❶ 5 ❷ 3

❸ 5, 3, 8 답▶ 8개

쌍둥이 문제 1-1

❶ [전략] 2 이상인 수가 쓰여 있는 자리의 수를 세자.
(2층에 있는 쌓기나무의 개수)=4개

❷ [전략] 3 이상인 수가 쓰여 있는 자리의 수를 세자.
(3층에 있는 쌓기나무의 개수)=2개

❸ (2층과 3층에 있는 쌓기나무의 개수의 합)
=4+2=6(개) 답▶ 6개

59쪽

선행 문제 2

 / 1, 1, 7

실행 문제 2

❶ 3, 27 ❷ 10

❸ 27, 10, 17 답▶ 17개

쌍둥이 문제 2-1

❶ (정육면체 모양의 쌓기나무의 개수)
=2×2×2=8(개)

❷ (빼내고 남은 모양의 쌓기나무의 개수)=4개

❸ (빼낸 쌓기나무의 개수)=8−4=4(개) 답▶ 4개

60쪽

실행 문제 3

❶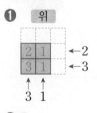

❷ 7 답▶ 7개

쌍둥이 문제 3-1

❶ [전략] 앞, 옆에서 보이는 층수를 이용하자.

❷ [전략] ❶에서 각 자리에 쓴 수를 모두 더하자.
(필요한 쌓기나무의 개수)
=2+3+1+1+1=8(개) 답▶ 8개

61쪽

선행 문제 4

1,

실행 문제 4

❶

❷ 13 답▶ 13개

쌍둥이 문제 4-1

❶ [전략] 위에서 본 모양은 1층 모양과 같다.

❷ [전략] ❶에서 각 자리에 쓴 수를 모두 더하자.
(쌓은 쌓기나무의 개수)
=3+1+3+1+2+1=11(개) 답▶ 11개

62쪽

선행 문제 5

1, 9 / 9, 1

실행 문제 5

❶

❷ 10

❸ 10, 2 답▶ 2개

쌍둥이 문제 5-1

❶

❷ [전략] 위에서 본 모양의 각 자리에 쓴 수를 모두 더하자.
(㉠을 뺀 나머지 자리에 쌓은 쌓기나무의 개수)
=2+1+3+3=9(개)

❸ [전략] (전체 쌓기나무의 개수)-(❷에서 구한 개수)
(㉠에 쌓은 쌓기나무의 개수)
=10-9=1(개) 〔답〕 1개

63쪽

실행 문제 6

❶ 3

❷ 3, 2

❸ 예 위 위 위 , 3

〔답〕 3가지

쌍둥이 문제 6-1

❶ (1층에 쌓은 쌓기나무의 개수)=4개

❷ [전략] (전체 쌓기나무의 개수)-(❶에서 구한 개수)
(2층까지 쌓을 자리의 수)
=5-4=1(개)

❸ 예 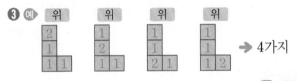 ➡ 4가지

〔답〕 4가지

2 STEP 수학 사고력 키우기   64~69쪽

64쪽

대표 문제 ❶

구 3

해 ❶ 〔답〕 3층, 4층, 5층

❷ • 3층: 3 이상인 수가 쓰여 있는 자리의 수 ➡ 4개
• 4층: 4 이상인 수가 쓰여 있는 자리의 수 ➡ 2개
• 5층: 5 이상인 수가 쓰여 있는 자리의 수 ➡ 1개
〔답〕 4개, 2개, 1개

❸ (3층, 4층, 5층에 있는 쌓기나무의 개수의 합)
=4+2+1=7(개) 〔답〕 7개

쌍둥이 문제 1-1

구 2층 이상에 있는 쌓기나무의 개수

어 1 2층 이상의 층수를 알고 각 층에 있는 쌓기나무
의 개수를 각각 구한 다음,
2 1에서 구한 개수를 모두 더하자.

❶ [전략] 가장 큰 수가 4이므로 4층까지 쌓았다.
쌓은 모양에서 2층 이상인 층수: 2층, 3층, 4층

❷ [전략] ■층에 있는 쌓기나무의 개수
➡ ■ 이상인 수가 쓰여 있는 자리의 수
(2층에 있는 쌓기나무의 개수)=6개
(3층에 있는 쌓기나무의 개수)=3개
(4층에 있는 쌓기나무의 개수)=1개

❸ [전략] ❷에서 구한 개수를 모두 더하자.
(2층 이상에 있는 쌓기나무의 개수)
=6+3+1=10(개) 〔답〕 10개

65쪽

대표 문제 ❷

해 ❶ 만들 수 있는 가장 작은 정육면체 모양은 한 모서
리에 쌓기나무를 3개씩 쌓은 모양이다.
➡ 3×3×3=27(개) 〔답〕 27개

❷

위에서 본 모양에 수를 써서 구하면 주어진 모
양을 만드는 데 사용한 쌓기나무는
2+1+3+2=8(개)이다. 〔답〕 8개

❸ (더 필요한 쌓기나무의 개수)
=(가장 작은 정육면체 모양의 쌓기나무의 개수)
-(쌓은 모양에서 사용한 쌓기나무의 개수)
=27-8=19(개) 〔답〕 19개

쌍둥이 문제 2-1

구 가장 작은 정육면체 모양을 만드는 데 더 필요한 쌓
기나무의 개수

❶ [전략] 가장 긴 쪽의 쌓기나무가 4개이므로 정육면체 모양의
한 모서리에 쌓기나무를 4개씩 쌓아야 한다.
(가장 작은 정육면체 모양의 쌓기나무의 개수)
=4×4×4=64(개)

❷ (주어진 모양을 만드는 데 사용한 쌓기나무의 개수)
=11개

❸ [전략] (❶에서 구한 개수)−(❷에서 구한 개수)
(더 필요한 쌓기나무의 개수)
=64−11=53(개) **답** 53개

66쪽

대표 문제 ③

해 ❶ 답 위

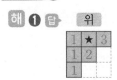

❷ ★이 있는 줄을 앞, 옆에서 보았을 때 가장 높은 층수가 각각 2층, 3층이 되어야 하므로 ★에 쌓기나무를 2개까지 쌓을 수 있다.
(가장 많은 경우의 쌓기나무의 개수)
=1+2+3+1+2+1=10(개) **답** 10개

쌍둥이 문제 3-1

구 쌓은 쌓기나무가 가장 많은 경우의 쌓기나무의 개수

❶ 위

❷ [전략] ●에 가장 많이 쌓을 수 있는 경우를 찾아 구하자.
●에 쌓기나무를 3개까지 쌓을 수 있다.
(가장 많은 경우의 쌓기나무의 개수)
=3+3+2+3=11(개) **답** 11개

참고 ●가 있는 줄을 앞, 옆에서 보았을 때 가장 높은 층수가 모두 3층이 되어야 하므로 ●에 쌓기나무를 3개까지 쌓을 수 있다.

67쪽

대표 문제 ④

해 ❶ 위에서 본 모양은 1층 모양과 같으므로 1층 모양을 그리고 3층, 2층, 1층의 순서로 각 자리에 층수를 써넣는다.

답 위

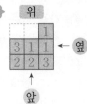

❷ 답 앞   옆

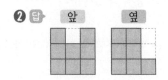

쌍둥이 문제 4-1

어 ❶ 위에서 본 모양을 그린 다음,
❷ 높은 층부터 각 층의 모양에 맞는 자리에 층수를 순서대로 써넣고,
❸ ❷에서 쓴 수를 보고 앞, 옆에서 본 모양을 각각 그리자.

❶ [전략] 위에서 본 모양은 1층 모양과 같다.

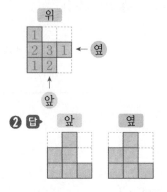

❷ 답 앞   옆

68쪽

대표 문제 ⑤

해 ❶ 답

❷ (필요한 쌓기나무의 개수)
=1+1+3+2+2+2+3+1=15(개) **답** 15개

쌍둥이 문제 5-1

구 똑같은 모양으로 쌓는 데 필요한 쌓기나무의 개수

어 가려져서 보이지 않는 자리에 쌓은 쌓기나무의 개수는 바로 앞쪽에 쌓은 쌓기나무의 개수보다 적다.

❶ [전략] 가려져서 보이지 않는 자리에 쌓은 쌓기나무의 개수도 구하자.

주의 가려진 자리에 쌓기나무가 2개이면 보이므로 가려져서 보이지 않는 자리에 쌓은 쌓기나무는 1개이다.

❷ (필요한 쌓기나무의 개수)
=1+1+3+1+2+2=10(개) **답** 10개

28

69쪽

대표 문제 6

해 ❶ 위에서 본 모양은 1층 모양과 같으므로 1층에 쌓은 쌓기나무는 6개이다.

답 **6개**

❷ 1층에 쌓고 남는 쌓기나무가 8−6=2(개)이므로 1개의 자리에 쌓기나무를 3층까지 쌓아야 한다.

답 **1개**

❸ 답 예  , 3가지

주의 돌렸을 때 같은 모양은 한 가지로 생각한다.

위			위		
3	1	1	1	1	1
1	1	1	1	1	3

=

위			위		
1	3	1	1	1	1
1	1	1	1	3	1

=

위			위		
1	1	3	1	1	1
1	1	1	3	1	1

=

쌍둥이 문제 6-1

구 조건을 만족하는 모양의 가짓수

어 2층까지 쌓으려면 1층에 쌓고 남는 쌓기나무를 2층에 쌓아야 한다.

❶ (1층에 쌓은 쌓기나무의 개수)=4개

❷ 전략 (전체 쌓기나무의 개수)−(1층에 쌓은 쌓기나무의 개수)
(2층까지 쌓을 자리의 수)
=6−4=2(개)

❸ 전략 돌렸을 때 같은 모양은 한 가지만 그리자.

예
위		
2	2	
	1	

위		
2	1	
	1	2

→ 2가지

답 **2가지**

주의 돌렸을 때 같은 모양은 한 가지로 생각한다.

위		
2	2	
1	1	

=

위		
1	2	
1	2	

=

위		
1	1	
2	2	

=

위		
2	1	
2	1	

위		
2	1	
1	2	

=

위		
1	2	
2	1	

---

3 STEP 수학 독해력 완성하기 70~73쪽

70쪽

독해 문제 1

구 만들 수 있는 똑같은 모양의 수

어 ❶ 주어진 모양 1개를 만드는 데 필요한 쌓기나무의 개수를 구하고,

❷ 사용할 쌓기나무의 개수를 ❶에서 구한 개수로 나누자.

해 ❶ 전략 위에서 본 모양에 수를 써서 구하자.

위에서 본 모양에 수를 써서 구하면 주어진 모양 1개를 만드는 데 필요한 쌓기나무는

3+2+1+2+1=9(개)이다.

답 **9개**

❷ 전략 (사용할 쌓기나무의 개수)÷(❶에서 구한 개수)
(만들 수 있는 모양의 수)
=45÷9=5(개)

답 **5개**

독해 문제 1-1 정답에서 제공하는 **쌍둥이 문제**

쌓기나무 56개를 모두 사용하여/ 다음과 똑같은 모양을/ 여러 개 만들려고 합니다./ 만들 수 있는 모양은 모두 몇 개인지 구해 보세요.

위에서 본 모양

구 만들 수 있는 똑같은 모양의 수

어 ❶ 주어진 모양 1개를 만드는 데 필요한 쌓기나무의 개수를 구하고,

❷ 사용할 쌓기나무의 개수를 ❶에서 구한 개수로 나누자.

해 ❶ (모양 1개를 만드는 데 필요한 쌓기나무의 개수)=7개

❷ (만들 수 있는 모양의 수)
=56÷7=8(개)

답 **8개**

독해 문제 | 2

구 옆에서 본 모양

어 1 앞에서 본 모양의 층수를 이용하여 위에서 본 모양의 각 자리에 수를 쓰고,

2 1 에서 수를 쓴 것을 보고 옆에서 본 모양을 그리자.

해 1 답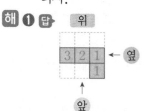

2 전략 옆에서 보았을 때 각 줄의 가장 높은 층만큼씩 그리자.

답

독해 문제 | 2-1 〔정답에서 제공하는 **쌍둥이 문제**〕

쌍기나무로 쌓은 모양을 위, 앞에서 본 모양입니다. / 옆에서 본 모양을 그려 보세요.

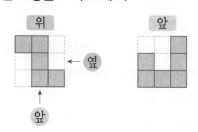

구 옆에서 본 모양

어 1 앞에서 본 모양의 층수를 이용하여 위에서 본 모양의 각 자리에 수를 쓰고,

2 1 에서 수를 쓴 것을 보고 옆에서 본 모양을 그리자.

해 1 위에서 본 모양의 각 자리에 수를 써서 나타내기:

2 옆에서 본 모양 그리기: 답

독해 문제 | 3

구 파란색 쌍기나무 3개를 빼냈을 때 앞에서 본 모양의 넓이

어 1 파란색 쌍기나무 3개를 빼냈을 때 앞에서 본 모양을 그리고,

2 1 에서 그린 모양의 넓이를 구하자.

해 1 답

2 (앞에서 본 모양의 넓이)
= (쌍기나무의 한 면의 넓이)
× (앞에서 본 모양의 면의 수)
= $4 \times 6 = 24$ (cm²)

답 **24 cm²**

독해 문제 | 3-1 〔정답에서 제공하는 **쌍둥이 문제**〕

오른쪽은 한 면의 넓이가 9 cm²인 / 정육면체 모양의 쌍기나무 10개로 쌓은 모양입니다. / 초록색 쌍기나무 3개를 빼냈을 때 / 앞에서 본 모양의 넓이를 구하세요.

구 초록색 쌍기나무 3개를 빼냈을 때 앞에서 본 모양의 넓이

어 1 초록색 쌍기나무 3개를 빼냈을 때 앞에서 본 모양을 그리고,

2 1 에서 그린 모양의 넓이를 구하자.

해 1 초록색 쌍기나무 3개를 빼냈을 때 앞에서 본 모양 그리기:

2 (앞에서 본 모양의 넓이)
= $9 \times 5 = 45$ (cm²)

답 **45 cm²**

독해 문제 | 4

구 1층에 쌓은 쌍기나무의 개수

어 1 각 층에 쌓은 쌍기나무의 개수를 세어

2 쌍기나무를 쌓은 규칙을 찾고,

3 1층에 쌓은 쌍기나무의 개수를 구하자.

해 **1** 답 1개, 3개, 5개

2 답 2

3 한 층씩 아래로 내려갈수록 쌓은 쌓기나무가 2개씩 늘어나므로 각 층에 쌓은 쌓기나무의 개수는
3층: 5+2=7(개), 2층: 7+2=9(개),
1층: 9+2=11(개)이다. 답 11개

72쪽

독해 문제 5

해 **1** 답
위		
3	2	1
2	2	1
1	1	1
, 14

2 답
위		
3	1	1
1	2	1
1	1	1
, 12

참고
앞, 옆에서 본 모양을 보고 위에서 본 모양의 각 자리에 알 수 있는 쌓기나무의 개수부터 수를 쓴 다음, 남은 자리에 쌓기나무를 가장 많이 쌓는 경우와 가장 적게 쌓는 경우를 구한다.

〈가장 많은 경우〉　〈가장 적은 경우〉

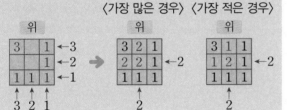

3 (가장 많은 경우의 개수)
　－(가장 적은 경우의 개수)
　＝14－12=2(개) 답 2개

73쪽

독해 문제 6

해 **1** 위에서 본 모양은 1층 모양과 같으므로 1층에 쌓은 쌓기나무는 5개이다. 답 5개

2 1층에 쌓고 남는 쌓기나무가 7－5=2(개)이므로 1개의 자리에 쌓기나무를 3층까지 쌓아야 한다. 답 1개

3 답 예
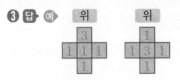

4 답

74쪽

창의 **1**

1층: 6개, 2층: 4개, 3층: 2개
➡ 6+4+2=12(개) 답 12개

융합 **2**

그림자의 모습은 쌓은 모양을 불빛을 비춘 방향에서 본 모양과 같다.

➡ 답 나

75쪽

코딩 **3**

(1) 명령에 따라 로봇이 모은 쌓기나무는 모두 6개이다.

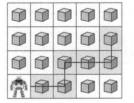

답 6개

(2) 쌓은 쌓기나무의 개수를 구하면 가: 5개, 나: 7개, 다: 6개이다.
➡ 로봇이 모은 쌓기나무는 6개이므로 쌓기나무를 모두 사용하여 만들 수 있는 모양은 다이다.

답 다

76쪽

창의 **4**

[보기]는 위에서 본 모양의 각 자리에 쌓은 쌓기나무의 개수가 1개이면 🍎, 2개이면 🍇, 3개이면 🍑로 나타내고 있다.

따라서 주어진 위에서 본 모양의 그림을 수로 나타내면 다음과 같다.

 ➡ 필요한 쌓기나무의 개수: 15개

답 15개

창의 **5**

만든 모양을 위, 앞, 옆에서 본 모양을 그렸을 때 상자에 난 구멍과 같은 모양이거나 그보다 모양이 작은 경우에 상자에 넣을 수 있다. **답** 유정

77쪽

코딩 **6**

드론이 한 바퀴를 도는 데 걸리는 시간이 1분=60초이므로 $\frac{1}{4}$바퀴를 도는 데 걸리는 시간은 $60 \times \frac{1}{4} = 15$(초)이다.

→ 10시 45초에 찍은 로봇의 사진은 라이다. **답** 라

총합평가 **실전 마무리 하기** 78~81쪽

78쪽

1 (2층에 있는 쌓기나무의 개수)
   =(2 이상인 수가 쓰여 있는 자리의 수)
   =4개 **답** 4개

주의
2가 쓰여 있는 자리의 수만 세지 않도록 주의한다.

2 ❶
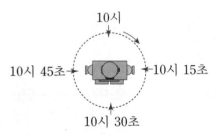

❷ 전략 ❶에서 각 자리에 쓴 수를 모두 더하자.
   (필요한 쌓기나무의 개수)
   =3+2+2+1+1+1=10(개) **답** 10개

다르게 풀기

각 층에 쌓은 쌓기나무의 개수를 세어 구할 수도 있다.

1층: 6개, 2층: 3개, 3층: 1개
→ (필요한 쌓기나무의 개수)
  =6+3+1=10(개)

---

3 ❶ 전략 앞, 옆에서 보이는 층수를 이용하자.

❷ 전략 ❶에서 각 자리에 쓴 수를 모두 더하자.
   (필요한 쌓기나무의 개수)
   =2+1+3+2+1=9(개) **답** 9개

79쪽

4 ❶ 전략 위에서 본 모양에 수를 써서 구하자.
   (모양 1개를 만드는 데 필요한 쌓기나무의 개수)
   =10개

❷ 전략 (사용할 쌓기나무의 개수)÷(❶에서 구한 개수)
   (만들 수 있는 모양의 수)
   =60÷10=6(개) **답** 6개

5 ❶ 전략 앞에서 본 모양의 층수를 이용하여 수를 쓰자.

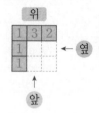

❷ 전략 ❶에서 수를 쓴 것을 보고 옆에서 본 모양을 그리자.
   답 옆

80쪽

6 ❶ 전략 가장 긴 쪽의 쌓기나무가 3개이므로 정육면체 모양의 한 모서리에 쌓기나무를 3개씩 쌓아야 한다.
   (가장 작은 정육면체 모양의 쌓기나무의 개수)
   =3×3×3=27(개)

참고
쌓기나무로 정육면체 모양을 만들려면 가로, 세로, 높이에 같은 개수의 쌓기나무를 쌓아야 한다.

❷ (주어진 모양을 만드는 데 사용한 쌓기나무의 개수)
   =10개

❸ 전략 (❶에서 구한 개수)−(❷에서 구한 개수)
   (더 필요한 쌓기나무의 개수)
   =27−10=17(개) **답** 17개

7 **❶** 전략〉위에서 본 모양은 1층 모양과 같다.

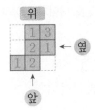

❷ 전략〉앞, 옆에서 보았을 때 각 줄의 가장 높은 층만큼씩 그리자.

답〉

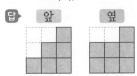

8 **❶** 전략〉빨간색 쌓기나무 2개를 빼낸 후 각 줄에서 가장 높은 층을 생각하여 그리자.

❷ 전략〉(쌓기나무의 한 면의 넓이)
×(❶에서 그린 모양의 면의 수)
(앞에서 본 모양의 넓이)$=1\times7=7$ (cm^2)

답〉7 cm^2

81쪽

9 **❶** 전략〉가려져서 보이지 않는 자리에 쌓은 쌓기나무의 개수도 구하자.

❷ 전략〉❶에서 각 자리에 쓴 수를 모두 더하자.
(필요한 쌓기나무의 개수)
$=1+2+3+2=8$(개)

답〉8개

10 **❶** (1층에 쌓은 쌓기나무의 개수)$=5$개

❷ 전략〉(전체 쌓기나무의 개수)
$-$(1층에 쌓은 쌓기나무의 개수)
(2층까지 쌓을 자리의 수)$=6-5=1$(개)

❸ 예〉

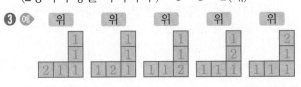

➡ 5가지

답〉5가지

---

4 비례식과 비례배분

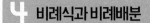

5, 9 / 예〉5 : 9

 STEP

문제 해결력 기르기

84쪽

선행 문제 ❶

(1) 6 / 3, 5   (2) 14 / 10, 9

실행 문제 ❶

❶ 240, 140, 100

❷ 100, 5   답〉예〉7 : 5

쌍둥이 문제 1-1

❶ 전략〉(전체 관객 수)$-$(여자 관객 수)
(남자 관객 수)$=88-56=32$(명)

❷ 전략〉두 수의 최대공약수로 나누어 간단한 자연수의 비로 나타내자.
(남자 관객 수) : (여자 관객 수)
➡ 32 : 56
➡ $(32\div8):(56\div8)$
➡ 4 : 7   답〉예〉4 : 7

85쪽

선행 문제 ❷

(1) 84 : ☐   (2) ☐ : 18

실행 문제 ❷

❶ 20 : ☐

❷ 20, 100, 25, 25   답〉25자루

쌍둥이 문제 2-1

❶ 전략〉(쌀의 양) : (콩의 양)$=8 : 3$
콩을 150 g 넣었을 때 넣어야 하는 쌀의 양을 ☐ g 이라 하고 비례식을 세우면 8 : 3$=$☐ : 150

❷ 전략〉'외항의 곱과 내항의 곱은 같다'라는 비례식의 성질을 이용하여 ☐를 구하자.
$3\times$☐$=8\times150$, $3\times$☐$=1200$ ➡ ☐$=400$
쌀은 400 g 넣어야 한다.   답〉400 g

86쪽

선행 문제 **3**

3, 7 / 3, 6, 7, 14

실행 문제 **3**

❶ 6, 24, 5, 20

❷ 24, 20, 4 　　　　　　　　　　　답 **4권**

쌍둥이 문제 **3-1**

❶ 전략 밀가루 반죽 500 g을 2 : 3으로 나누자.

　(빵 반죽의 양)

$$=500\times\frac{2}{2+3}=500\times\frac{2}{5}=200\,(g)$$

　(쿠키 반죽의 양)

$$=500\times\frac{3}{2+3}=500\times\frac{3}{5}=300\,(g)$$

❷ 쿠키 반죽은 빵 반죽보다

　$300-200=100\,(g)$ 더 많다.　답 **100 g**

87쪽

선행 문제 **4**

18, 3

실행 문제 **4**

❶ 8, 3

❷ 3, 3, 36 　　　　　　　　　　답 **36 cm²**

쌍둥이 문제 **4-1**

❶ 전략 높이가 같을 때 넓이의 비는 밑변의 길이의 비와 같다.

　(가의 넓이) : (나의 넓이)

　➡ 10 : 6 ➡ (10÷2) : (6÷2) ➡ 5 : 3

❷ 전략 가와 나의 넓이의 합을 ❶에서 구한 비로 배분하여 구하자.

　$(나의 넓이)=128\times\frac{3}{5+3}=128\times\frac{3}{8}=48\,(cm^2)$

　　　　　　　　　　　답 **48 cm²**

88쪽

선행 문제 **5**

4, 5 / 4, 5

실행 문제 **5**

❶ $\frac{1}{4}$, $\frac{3}{5}$

❷ $\frac{3}{5}$, 12 　　　　　　　　답 예 **5 : 12**

쌍둥이 문제 **5-1**

❶ 전략 ㉠$\times\frac{5}{9}$를 외항의 곱, ㉡$\times\frac{2}{3}$를 내항의 곱이라 생각하자.

　비례식으로 나타내면 ㉠ : ㉡ $=\frac{2}{3}$: $\frac{5}{9}$

❷ ㉠ : ㉡를 간단한 자연수의 비로 나타내면

　$\frac{2}{3}$: $\frac{5}{9}$

　➡ $\left(\frac{2}{3}\times9\right)$: $\left(\frac{5}{9}\times9\right)$

　➡ 6 : 5 　　　　　　답 예 **6 : 5**

89쪽

실행 문제 **6**

❶ 16

❷ 16

❸ 16, 16, 240, 10 　　　　　답 **10바퀴**

쌍둥이 문제 **6-1**

❶ (㉠의 톱니 수) : (㉡의 톱니 수) ➡ 15 : 9

❷ 전략 (㉠의 톱니 수) : (㉡의 톱니 수) ➡ ● : ▲이면
　(㉠의 회전수) : (㉡의 회전수) ➡ ▲ : ●이다.

　(㉠의 회전수) : (㉡의 회전수) ➡ 9 : 15

❸ ㉠가 12바퀴 돌 때 ㉡의 회전수를 □바퀴라 하고
　비례식을 세우면 9 : 15=12 : □

　➡ 9×□=15×12, 9×□=180, □=20

　㉡는 20바퀴 돌게 된다. 　　답 **20바퀴**

참고 두 톱니바퀴가 맞물려 돌아가면 두 톱니바퀴의 움직인 톱니 수가 같다.
(움직인 톱니 수)=(톱니 수)×(회전수)

STEP 2 수학 **사고력 키우기**　90~95쪽

90쪽

대표 문제 **1**

해 ❶ 답 $\frac{1}{3}$, $\frac{1}{2}$

❷ (지수가 1시간 동안 한 일의 양) : (현아가 1시간 동안 한 일의 양)

　➡ $\frac{1}{3}$: $\frac{1}{2}$ ➡ $\left(\frac{1}{3}\times6\right)$: $\left(\frac{1}{2}\times6\right)$ ➡ 2 : 3

　　　　　　　　　답 예 **2 : 3**

쌍둥이 문제 1-1

구 수도 A와 B에서 1분 동안 나오는 물의 양의 비

주 욕조를 가득 채우는 데 걸리는 시간
→ 수도 A: 6분, 수도 B: 8분

어 ① 욕조를 가득 채우는 물의 양을 1이라 하고 두 수도에서 각각 1분 동안 나오는 물의 양을 구하여
② 간단한 자연수의 비로 나타내자.

① 욕조를 가득 채우는 물의 양을 1이라 할 때

수도 A에서 1분 동안 나오는 물의 양: $\dfrac{1}{6}$,

수도 B에서 1분 동안 나오는 물의 양: $\dfrac{1}{8}$

② 전략 수도 A와 B에서 1분 동안 나오는 물의 양의 비의 전항과 후항에 각각 두 분모의 최소공배수를 곱하자.

(수도 A에서 1분 동안 나오는 물의 양) : (수도 B에서 1분 동안 나오는 물의 양)

→ $\dfrac{1}{6} : \dfrac{1}{8}$ → $\left(\dfrac{1}{6}\times 24\right) : \left(\dfrac{1}{8}\times 24\right)$ → 4 : 3

답 예 4 : 3

91쪽

대표 문제 2

해 ① 오토바이가 425 km를 가는 데 걸린 시간을 □시간이라 하고 비례식을 세우면

2 : 170 = □ : 425   답 □ : 425

② 170 × □ = 2 × 425, 170 × □ = 850 → □ = 5
오토바이가 425 km를 가는 데 5시간이 걸렸다.

답 5시간

쌍둥이 문제 2-1

구 85타수 중 예상되는 안타의 수

어 조건에 맞게 비례식을 세우자.

방법1 10 : 4 = (전체 타수) : (안타 수)

방법2 10 : (전체 타수) = 4 : (안타 수)

① 85타수 중에서 안타의 수를 □번이라 하고 비례식을 세우면 10 : 4 = 85 : □

참고 10 : 85 = 4 : □로 비례식을 세울 수도 있다.

② 전략 '외항의 곱과 내항의 곱은 같다'라는 비례식의 성질을 이용하여 □를 구하자.

10 × □ = 4 × 85, 10 × □ = 340 → □ = 34
안타를 34번 칠 것으로 예상된다.

답 34번

92쪽

대표 문제 3

해 ① (현수가 투자한 금액) : (민지가 투자한 금액)
→ 80만 : 120만
→ (80만 ÷ 40만) : (120만 ÷ 40만)
→ 2 : 3   답 예 2 : 3

② 현수: $30만 \times \dfrac{2}{2+3} = 30만 \times \dfrac{2}{5} = 12만$ (원)

민지: $30만 \times \dfrac{3}{2+3} = 30만 \times \dfrac{3}{5} = 18만$ (원)

답 12만 원, 18만 원

③ (민지가 가진 이익금) − (현수가 가진 이익금)
= 18만 − 12만 = 6만 (원)   답 6만 원

쌍둥이 문제 3-1

구 지환이가 시은이보다 더 많이 가진 금액

어 ① 받은 돈 16만 원을 일을 한 시간의 비로 나누어 가지므로 먼저 일을 한 시간의 비를 구하고,
② 받은 돈을 비례배분하자.

① (시은이가 일을 한 시간) : (지환이가 일을 한 시간)
→ 3 : 5

② (시은이가 가지는 돈) = $16만 \times \dfrac{3}{3+5}$

$= 16만 \times \dfrac{3}{8} = 6만$ (원)

(지환이가 가지는 돈) = $16만 \times \dfrac{5}{3+5}$

$= 16만 \times \dfrac{5}{8} = 10만$ (원)

③ 지환이는 시은이보다 10 − 6 = 4만 (원)을 더 많이 가진다.   답 4만 원

93쪽

대표 문제 4

해 ① 삼각형 가와 나의 높이가 같으므로 가와 나의 넓이의 비는 밑변의 길이의 비와 같다.

(가의 넓이) : (나의 넓이) → 4.8 : 8.4
→ (4.8 × 10) : (8.4 × 10) → 48 : 84
→ (48 ÷ 12) : (84 ÷ 12) → 4 : 7   답 예 4 : 7

② (가의 넓이) = $33 \times \dfrac{4}{4+7}$

$= 33 \times \dfrac{4}{11} = 12$ (cm²)   답 12 cm²

쌍둥이 문제 4-1

구 삼각형 나의 넓이

주 삼각형 가와 나의 넓이의 합: 26 cm^2

어 ① 삼각형 가와 나의 넓이의 비를 간단한 자연수의 비로 나타낸 후,

② 비례배분을 이용하여 삼각형 나의 넓이를 구하자.

① 전략 높이가 같은 두 삼각형의 넓이의 비는 밑변의 길이의 비와 같다.

(가의 넓이) : (나의 넓이)

→ $6.4 : 4$

→ $(6.4 \times 10) : (4 \times 10)$ → $64 : 40$

→ $(64 \div 8) : (40 \div 8)$ → $8 : 5$

② 전략 가와 나의 넓이의 합을 ①에서 구한 비로 배분하여 구하자.

$$(\text{나의 넓이}) = 26 \times \frac{5}{8+5} = 26 \times \frac{5}{13} = 10 \text{ (cm}^2)$$

답 10 cm^2

94쪽

대표 문제 5

해 ① 답 $\dfrac{1}{3}, \dfrac{3}{4}$

② (가의 넓이) : (나의 넓이)

→ $\dfrac{3}{4} : \dfrac{1}{3}$ → $\left(\dfrac{3}{4} \times 12\right) : \left(\dfrac{1}{3} \times 12\right)$ → $9 : 4$

답 예 $9 : 4$

쌍둥이 문제 5-1

구 가와 나의 넓이의 비

주 (겹쳐진 부분의 넓이)

$= (\text{가의 넓이의 } 0.6) = \left(\text{나의 넓이의 } \dfrac{7}{10}\right)$

어 ① 겹쳐진 부분의 넓이가 같다는 것을 이용하여 식을 세우고,

② ①에서 나타낸 식을 보고 가와 나의 넓이의 비를 구하자.

① (겹쳐진 부분의 넓이)

$= (\text{가의 넓이}) \times 0.6 = (\text{나의 넓이}) \times \dfrac{7}{10}$

② (가의 넓이) : (나의 넓이)

→ $\dfrac{7}{10} : 0.6$ → $\left(\dfrac{7}{10} \times 10\right) : (0.6 \times 10)$ → $7 : 6$

답 예 $7 : 6$

95쪽

대표 문제 6

해 ① 답 예 $18 : 24$

② 답 예 $24 : 18$

③ $24 : 18 = 40 : \square$

→ $24 \times \square = 18 \times 40$, $24 \times \square = 720$, $\square = 30$

⑭의 톱니는 30개이다.

비례식 예 $24 : 18 = 40 : \square$ 답 30개

쌍둥이 문제 6-1

구 ⑭의 톱니 수

주 • ㉮가 45바퀴를 돌 때 ⑭는 30바퀴를 돈다.

• ㉮의 톱니 수: 14개

① (㉮의 회전수) : (⑭의 회전수) → $45 : 30$

② (㉮의 톱니 수) : (⑭의 톱니 수) → $30 : 45$

③ 전략 ②에서 구한 비를 이용하여 비례식을 세우자.

⑭의 톱니 수를 $\square$개라 하고 비례식을 세우면

$30 : 45 = 14 : \square$

→ $30 \times \square = 45 \times 14$, $30 \times \square = 630$, $\square = 21$

⑭의 톱니는 21개이다.   답 21개

---

3 STEP 수학 독해력 완성하기 96~99쪽

96쪽

독해 문제 1

구 시장에서 산 귤의 수

주 • 신혜와 준영이가 나누어 가진 귤의 수의 비

→ $5 : 8$

• 신혜가 가진 귤의 수: 35개

어 ① 시장에서 산 귤의 수를 $\square$개라 하고,

② 신혜가 가진 귤의 수를 구하는 식을 써서 $\square$를 구하자.

해 ① 식 $\square \times \dfrac{5}{5 + 8} = 35$

② $\square \times \dfrac{5}{13} = 35$

→ $\square = 35 \div \dfrac{5}{13} = 35 \times \dfrac{13}{5} = 91$

따라서 시장에서 산 귤은 모두 91개이다.

답 91개

독해 문제 | **1-1**　　　　　정답에서 제공하는 **쌍둥이 문제**

문구점에서 산 공책을 승규와 민희가 3 : 4로 나누어 가졌더니 /

민희가 가진 공책이 24권이었습니다. /

문구점에서 산 공책은 모두 몇 권인지 구해 보세요.

해 ❶ 문구점에서 산 공책을 □권이라 하고 민희가 가진 공책의 수를 구하는 식 쓰기:

$$□ × \frac{4}{3+4} = 24$$

❷ $□ × \frac{4}{7} = 24$

➡ $□ = 24 ÷ \frac{4}{7} = 24 × \frac{7}{4} = 42$

문구점에서 산 공책은 모두 42권이다.

답 **42권**

독해 문제 | **2**

구 □ 안에 알맞은 수

어 '외항의 곱과 내항의 곱은 서로 같다'라는 비례식의 성질을 이용하자.

해 ❶ 답 **내항**

❷ 전략 비례식에서 바깥쪽에 있는 두 항이 외항이고, 안쪽에 있는 두 항이 내항이다.

$$4 × 25 = 100$$
$$4 : (□+3) = 10 : 25$$
$$(□+3) × 10$$

답 **100 / 10**

❸ (□+3) × 10 = 100, □+3 = 10 ➡ □ = 7

답 **7**

독해 문제 | **2-1**　　　　　정답에서 제공하는 **쌍둥이 문제**

비례식이 성립하도록 /

□ 안에 알맞은 수를 구해 보세요.

$$2 : 7 = 4 : (□-5)$$

해 ❶ 비례식에서 외항의 곱과 내항의 곱은 같다.

❷ 2 × (□-5) = 7 × 4, 2 × (□-5) = 28,

□-5 = 14 ➡ □ = 19　　答 **19**

독해 문제 | **3**

구 직사각형의 넓이

주 • 직사각형의 가로와 세로의 비 ➡ 10 : 7

• 직사각형의 둘레: 102 cm

어 ❶ 직사각형의 둘레로 가로와 세로 길이의 합을 구하고,

❷ ❶에서 구한 길이를 비례배분하여 가로와 세로의 길이를 각각 구한 다음,

❸ 직사각형의 넓이를 구하자.

해 ❶ (가로와 세로 길이의 합) = 102 ÷ 2 = 51 (cm)

답 **51 cm**

참고 (직사각형의 둘레) = (가로와 세로 길이의 합) × 2

❷ (가로) = $51 × \frac{10}{10+7} = 51 × \frac{10}{17} = 30$ (cm),

(세로) = $51 × \frac{7}{10+7} = 51 × \frac{7}{17} = 21$ (cm)

답 **30 cm, 21 cm**

❸ (직사각형의 넓이) = (가로) × (세로)

$$= 30 × 21 = 630 (cm^2)$$

답 **630 cm²**

독해 문제 | **3-1**　　　　　정답에서 제공하는 **쌍둥이 문제**

가로와 세로의 비가 8 : 5이고 /

둘레가 78 cm인 직사각형이 있습니다. /

이 직사각형의 넓이를 구해 보세요.

주 • 직사각형의 가로와 세로의 비 ➡ 8 : 5

• 직사각형의 둘레: 78 cm

어 ❶ 직사각형의 둘레로 가로와 세로 길이의 합을 구하고,

❷ ❶에서 구한 길이를 비례배분하여 가로와 세로의 길이를 각각 구한 다음,

❸ 직사각형의 넓이를 구하자.

해 ❶ (가로와 세로 길이의 합) = 78 ÷ 2 = 39 (cm)

❷ (가로) = $39 × \frac{8}{8+5} = 39 × \frac{8}{13} = 24$ (cm)

(세로) = $39 × \frac{5}{8+5} = 39 × \frac{5}{13} = 15$ (cm)

❸ (직사각형의 넓이)

$$= 24 × 15 = 360 (cm^2)$$　　답 **360 cm²**

독해 문제 | 4

어 ① 오전 9시부터 다음 날 오후 3시까지의 시간을 구하고,

② 하루는 24시간임을 이용하여 비례식을 세워 ①에서 구한 시간 동안 빨라지는 시간을 구한 다음,

③ 다음 날 오후 3시에 이 시계가 가리키는 시각을 구하자.

해 ① (오전 9시~다음 날 오전 9시)

$+$(다음 날 오전 9시~오후 3시)

$=24$시간$+6$시간$=30$시간 **답** **30시간**

② 30시간 동안 빨라지는 시간을 □분이라 하고 비례식을 세우면 $24:4=30:□$이다.

➡ $24×□=4×30$, $24×□=120$, $□=5$

비례식 예 $24:4=30:□$ **답** **5**

③ 전략 오후 3시에 ②에서 구한 시간을 더하자.

30시간 동안 5분이 빨라지므로 다음 날 오후 3시에 이 시계가 가리키는 시각은 오후 3시 5분이다.

답 **오후 3시 5분**

독해 문제 | 4-1 정답에서 제공하는 **쌍둥이 문제**

하루에 6분씩 빨라지는 시계가 있습니다. /
이 시계를 오후 6시에 정확히 맞추었다면 /
다음 날 오전 10시에 이 시계가 가리키는 시각을 구해 보세요.

어 ① 오후 6시부터 다음 날 오전 10시까지의 시간을 구하고,

② 하루는 24시간임을 이용하여 비례식을 세워 ①에서 구한 시간 동안 빨라지는 시간을 구한 다음,

③ 다음 날 오전 10시에 이 시계가 가리키는 시각을 구하자.

해 ① (오후 6시~다음 날 오전 10시)

$=16$시간

② 16시간 동안 빨라지는 시간을 □분이라 하고 비례식을 세우면 $24:6=16:□$

➡ $24×□=6×16$, $24×□=96$, $□=4$

③ (다음 날 오전 10시에 이 시계가 가리키는 시각)

$=$오전 10시$+4$분$=$오전 10시 4분

답 **오전 10시 4분**

98쪽

독해 문제 | 5

주 180

해 ① **답** $\dfrac{7}{20}$, $\dfrac{1}{4}$

② (가의 넓이) : (나의 넓이)

➡ $\dfrac{1}{4}:\dfrac{7}{20}$ ➡ $\left(\dfrac{1}{4}×20\right):\left(\dfrac{7}{20}×20\right)$

➡ $5:7$ **답** 예 $5:7$

③ (가의 넓이)$=180×\dfrac{5}{5+7}$

$=180×\dfrac{5}{12}=75\,(\text{cm}^2)$

답 $75\,\text{cm}^2$

99쪽

독해 문제 | 6

주 3, 2

해 ① 전략 준서가 가지고 있던 젤리의 수와 승아가 가지고 있던 젤리의 수를 더하자.

(준서가 가지고 있던 젤리의 수)

$+$(승아가 가지고 있던 젤리의 수)

$=30+30=60$(개) **답** **60개**

② (준서에게 젤리를 준 후 승아의 젤리의 수)

$=60×\dfrac{2}{3+2}=60×\dfrac{2}{5}=24$(개) **답** **24개**

③ (승아가 처음에 가지고 있던 젤리의 수)

$-$(준서에게 젤리를 준 후 승아의 젤리의 수)

$=30-24=6$(개) **답** **6개**

독해 문제 | 6-1 정답에서 제공하는 **쌍둥이 문제**

수호와 민혁이는 딱지를 각각 15장씩 가지고 있었습니다. /
민혁이가 수호에게 딱지를 몇 장 주었더니 /
수호와 민혁이가 가진 딱지 수의 비가 2 : 1이 되었습니다. /
민혁이가 수호에게 준 딱지는 몇 장인지 구해 보세요.

구 민혁이가 수호에게 준 딱지의 수

주 •수호가 처음에 가지고 있던 딱지의 수: 15장

•민혁이가 처음에 가지고 있던 딱지의 수: 15장

•민혁이가 수호에게 딱지를 몇 장 준 후 수호와 민혁이가 가진 딱지 수의 비 ➡ 2 : 1

어 1 전체 딱지의 수를 비례배분하여 민혁이가 수호에게 딱지를 준 후 가지고 있는 딱지의 수를 구하고,

2 민혁이가 처음에 가지고 있던 딱지의 수에서 **1**에서 구한 딱지의 수를 빼자.

해 ❶ (수호와 민혁이가 처음에 가지고 있던 딱지 수의 합)
$$= 15 + 15 = 30(장)$$

❷ (수호에게 딱지를 준 후 민혁이의 딱지의 수)
$$= 30 \times \frac{1}{2+1} = 30 \times \frac{1}{3} = 10(장)$$

❸ (민혁이가 수호에게 준 딱지의 수)
$$= 15 - 10 = 5(장)$$

답 5장

STEP 4 창의 융합 코딩 체험하기 100~103쪽

100쪽

코딩 ①

$7:3=28:12$에서 외항의 곱인 $7 \times 12 = 84$와 내항의 곱인 $3 \times 28 = 84$가 같으므로 출력되어 나오는 표시는 ○이다. **답** ○

참고
A : B = C : D에서 외항의 곱 A×D와 내항의 곱 B×C가 같으면 비례식이다.
$7:3=28:12$는 외항의 곱과 내항의 곱이 같으므로 비례식이다.

창의 ②

떡볶이 4인분을 만드는 데 필요한 떡의 양이 380 g이므로 떡볶이 10인분을 만드는 데 필요한 떡의 양을 □ g이라 하고 비례식을 세우면 $4:380=10:□$이다.
$4 \times □ = 380 \times 10$, $4 \times □ = 3800$ ➡ $□ = 950$
따라서 필요한 떡은 950 g이다. **답** 950 g

101쪽

융합 ③

하루는 24시간이다.
➡ (밤의 길이) $= 24 \times \frac{5}{3+5} = 24 \times \frac{5}{8} = 15(시간)$

답 15시간

코딩 ④

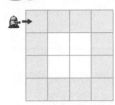

명령을 실행하고 난 후 로봇이 감자를 심은 칸은 12개이고, 심지 않은 칸은 4개이다.

(감자를 심은 칸수) : (감자를 심지 않은 칸수)
➡ $12:4$ ➡ $(12÷4):(4÷4)$ ➡ $3:1$

답 예 3 : 1

102쪽

창의 ⑤

도화지 한 장의 세로를 □ cm라 하고 비례식을 세우면 $3:2=33:□$이다.
$3 \times □ = 2 \times 33$, $3 \times □ = 66$ ➡ $□ = 22$
도화지 한 장의 세로가 22 cm이므로
(완성된 협동화의 세로) $= 22 \times 2 = 44$ (cm)이다.

답 44 cm

창의 ⑥

(수진이네 가족 수) : (지우네 가족 수) $= 4:5$
(수진이네 가족이 내야 할 여행 경비)
$= (총 여행 경비) \times \frac{4}{4+5} = 27만 \times \frac{4}{9} = 12만 (원)$

답 12만 원

103쪽

융합 ⑦

(1) 큰 톱니바퀴와 작은 톱니바퀴의 톱니 수의 비
➡ $30:18$
큰 톱니바퀴와 작은 톱니바퀴의 회전수의 비
➡ $18:30$ ➡ $(18÷6):(30÷6)$ ➡ $3:5$

답 예 3 : 5

(2) 페달을 1번 돌리면 큰 톱니바퀴가 1바퀴 돌므로 페달을 48번 돌리면 큰 톱니바퀴는 48바퀴 돈다.

답 48바퀴

(3) 큰 톱니바퀴가 48바퀴 돌 때 작은 톱니바퀴의 회전 수를 □바퀴라 하고 비례식을 세우면
$3:5=48:□$이다.
$3 \times □ = 5 \times 48$, $3 \times □ = 240$ ➡ $□ = 80$
따라서 페달을 48번 돌릴 때 작은 톱니바퀴는 80바퀴 돈다.

답 80바퀴

104쪽

1 ❶ 전략 문제에 주어진 조건을 이용하여 비례식을 세우자.

남학생 수를 □명이라 하고 비례식을 세우면

$4:3=□:12$

❷ 전략 '외항의 곱과 내항의 곱은 같다'라는 비례식의 성질을 이용하여 □를 구하자.

$3×□=4×12$, $3×□=48$ ➡ $□=16$

남학생은 16명이다. 답 **16명**

2 ❶ 전략 찰흙 520 g을 5 : 8로 나누어 구하자.

(하연이가 가진 찰흙의 양)

$=520×\dfrac{5}{5+8}=520×\dfrac{5}{13}=200\,(g)$

❷ (주희가 가진 찰흙의 양)

$=520×\dfrac{8}{5+8}=520×\dfrac{8}{13}=320\,(g)$

답 **200 g, 320 g**

3 ❶ 전략 영우와 준호가 하루 동안 한 일의 양을 각각 구하자.

전체 일의 양을 1이라 할 때

영우가 하루 동안 한 일의 양: $\dfrac{1}{5}$,

준호가 하루 동안 한 일의 양: $\dfrac{1}{6}$

❷ 전략 영우와 준호가 하루 동안 한 일의 양의 비의 전항과 후항에 각각 두 분모의 최소공배수를 곱하자.

(영우가 하루 동안 한 일의 양) : (준호가 하루 동안 한 일의 양)

➡ $\dfrac{1}{5}:\dfrac{1}{6}$ ➡ $\left(\dfrac{1}{5}×30\right):\left(\dfrac{1}{6}×30\right)$ ➡ $6:5$

답 예 **6 : 5**

105쪽

4 ❶ 전략 증발시킨 바닷물의 양과 얻는 소금의 양의 비를 이용하여 비례식을 세우자.

바닷물 15 L를 증발시켜서 얻을 수 있는 소금의 양을 □g이라 하고 비례식을 세우면

$4:128=15:□$

참고 $4:15=128:□$로 비례식을 세울 수도 있다.

❷ 전략 '외항의 곱과 내항의 곱은 같다'라는 비례식의 성질을 이용하자.

$4×□=128×15$, $4×□=1920$ ➡ $□=480$

소금 480 g을 얻을 수 있다. 답 **480 g**

5 ❶ 전략 가와 나의 넓이의 비를 간단한 자연수의 비로 나타내자.

(가의 넓이) : (나의 넓이)

➡ $12:9$

➡ $(12÷3):(9÷3)$

➡ $4:3$

참고 높이가 같을 때 두 평행사변형의 넓이의 비는 밑변의 길이의 비와 같다.

(가의 넓이) : (나의 넓이)

➡ (가의 밑변의 길이) : (나의 밑변의 길이)

❷ 전략 가와 나의 넓이의 합을 ❶에서 구한 비로 배분하여 구하자.

(가의 넓이)

$=210×\dfrac{4}{4+3}=210×\dfrac{4}{7}=120\,(cm^2)$

답 **120 cm²**

106쪽

6 ❶ 전략 비례배분하여 파란색 통에 담은 사탕의 수를 구하는 식을 쓰자.

마트에서 산 사탕의 수를 □개라 하고 파란색 통에 담은 사탕의 수를 구하는 식 쓰기:

$□×\dfrac{3}{7+3}=24$

❷ 전략 ❶에서 쓴 식을 보고 □를 구하자.

$□×\dfrac{3}{10}=24$

➡ $□=24÷\dfrac{3}{10}=24×\dfrac{10}{3}=80$

마트에서 산 사탕은 모두 80개이다. 답 **80개**

7 ❶ 비례식에서 외항의 곱과 내항의 곱은 같다.

❷ 전략 비례식의 성질을 이용한 식을 세워 □ 안에 알맞은 수를 구하자.

$(□-6)×4=8×13$, $(□-6)×4=104$,

$□-6=26$ ➡ $□=32$ 답 **32**

40

8 ① 전략 (철사의 길이)÷2

(직사각형의 가로와 세로 길이의 합)

$=50÷2=25\,(cm)$

참고 철사를 겹치지 않게 모두 사용하여 직사각형 모양을 만들었으므로 만든 직사각형의 둘레는 사용한 철사의 길이와 같다.

② 전략 가로와 세로 길이의 합을 2 : 3으로 나누어 구하자.

(직사각형의 가로)

$=25×\dfrac{2}{2+3}=25×\dfrac{2}{5}=10\,(cm)$

(직사각형의 세로)

$=25×\dfrac{3}{2+3}=25×\dfrac{3}{5}=15\,(cm)$

③ 전략 (직사각형의 넓이)=(가로)×(세로)

(직사각형의 넓이)$=10×15=150\,(cm^2)$

답 **150 cm²**

107쪽

9 ① 전략 겹쳐진 부분의 넓이가 같다는 것을 이용하여 식을 세우자.

(겹쳐진 부분의 넓이)

$=(가의 넓이)×\dfrac{5}{8}=(나의 넓이)×\dfrac{2}{5}$

② 전략 가와 나의 넓이의 비를 간단한 자연수의 비로 나타내자.

(가의 넓이) : (나의 넓이)

➡ $\dfrac{2}{5} : \dfrac{5}{8}$

➡ $\left(\dfrac{2}{5}×40\right) : \left(\dfrac{5}{8}×40\right)$

➡ $16 : 25$

답 예 **16 : 25**

10 ① (㉮의 톱니 수) : (㉯의 톱니 수) ➡ 24 : 42

② 전략 (㉮의 톱니 수) : (㉯의 톱니 수) ➡ ● : ▲이면

(㉮의 회전수) : (㉯의 회전수) ➡ ▲ : ●이다.

(㉮의 회전수) : (㉯의 회전수) ➡ 42 : 24

③ 전략 ②에서 구한 비를 이용하여 비례식을 세우자.

㉮가 35바퀴 돌 때 ㉯의 회전수를 □바퀴라 하고 비례식을 세우면

$42 : 24=35 : □$

➡ $42×□=24×35$, $42×□=840$, $□=20$

㉯는 20바퀴 돌게 된다.

답 **20바퀴**

---

5 원의 넓이

FUN 한 기억 노트

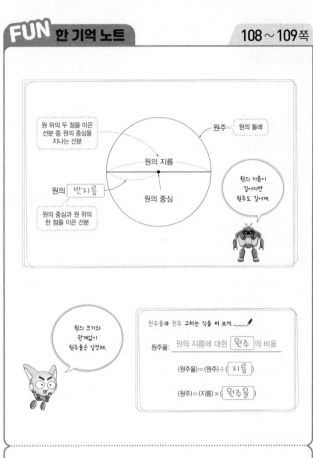

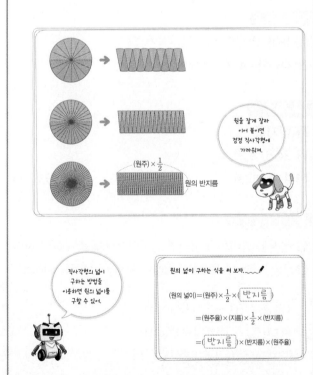

STEP 1 문제 해결력 기르기 110~115쪽

110쪽

선행 문제 1

10, 3.1, 31

실행 문제 1

❶ 16, 49.6

❷ 5

❸ 49.6, 248 **답** 248 cm

쌍둥이 문제 1-1

❶ **전략** (굴렁쇠의 지름)×(원주율)

(굴렁쇠의 원주)

$=14×3=42$ (cm)

❷ (굴러간 바퀴 수)=3.5바퀴

❸ **전략** (굴렁쇠의 원주)×(굴러간 바퀴 수)

(굴렁쇠가 굴러간 거리)

$=42×3.5=147$ (cm) **답** 147 cm

111쪽

선행 문제 2

(1) 18.6, 3.1, 6

(2) 48, 16, 4, 4

실행 문제 2

❶ 반지름

❷ 24.8, 8, 8, 4

❸ 4, 4, 49.6 **답** 49.6 cm²

쌍둥이 문제 2-1

❶ 접시의 넓이를 구하려면 접시의 반지름을 구해야 한다.

❷ **전략** 접시의 둘레를 이용하여 지름과 반지름을 차례로 구하자.

(지름)$=54÷3=18$ (cm)

(반지름)$=18÷2=9$ (cm)

참고 (지름)=(원주)÷(원주율)

(반지름)=(지름)÷2

❸ (접시의 넓이)

$=9×9×3=243$ (cm²) **답** 243 cm²

112쪽

선행 문제 3

4, 4, 4, 48

실행 문제 3

❶ 12, 직

참고

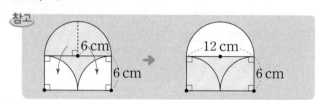

❷ 12, 72 **답** 72 cm²

쌍둥이 문제 3-1

❶ 왼쪽의 작은 반원을 오른쪽으로 옮기면 반지름이 10 cm인 반원이 된다.

참고

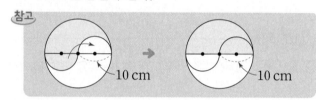

❷ (색칠한 부분의 넓이)

$=10×10×3.1÷2=155$ (cm²)

참고 (반원의 넓이)=(반지름)×(반지름)×(원주율)÷2

답 155 cm²

113쪽

선행 문제 4

10, 10, 5

실행 문제 4

❶ 8, 8, 96

❷ 8, 4 / 4, 4, 48

❸ 96, 48, 48 **답** 48 cm²

쌍둥이 문제 4-1

❶ (마름모의 넓이)$=18×18÷2=162$ (cm²)

❷ (원의 반지름)$=18÷2=9$ (cm)

(원의 넓이)$=9×9×3=243$ (cm²)

❸ **전략** (원의 넓이)−(마름모의 넓이)

(색칠한 부분의 넓이)

$=243−162=81$ (cm²) **답** 81 cm²

114쪽

선행 문제 5

4, 4, 6, 4, 9

실행 문제 5

❶ 10, 20

❷ 10, 10, 4, 15.5

❸ 20, 15.5, 35.5　　　　　답▶ 35.5 cm

쌍둥이 문제 5-1

❶ [전략] 색칠한 부분을 둘러싸고 있는 직선 부분의 길이만 더하자.

(직선 부분의 길이의 합)

=4+8+4=16 (cm)

❷ (곡선 부분의 길이)

$=\left(지름이\ 8\ cm인\ 원의\ 원주의\ \dfrac{1}{2}\right)$

=8×3÷2=12 (cm)

❸ [전략] (직선 부분의 길이의 합)+(곡선 부분의 길이)

(색칠한 부분의 둘레)

=16+12=28 (cm)　　　　답▶ 28 cm

115쪽

선행 문제 6

7, 7, 7, 21

실행 문제 6

❶ 2, 50

❷ 20, 60

❸ 50, 60, 110　　　　　답▶ 110 cm

쌍둥이 문제 6-1

❶ (직선 부분의 길이의 합)

=22×2=44 (cm)

❷ [전략] 곡선 부분을 모으면 지름이 10 cm인 원이 된다.

(곡선 부분의 길이의 합)

=10×3.14=31.4 (cm)

❸ [전략] (직선 부분의 길이의 합)+(곡선 부분의 길이의 합)

(도형의 둘레)

=44+31.4=75.4 (cm)　　　답▶ 75.4 cm

---

2 STEP 수학 사고력 키우기　116~121쪽

116쪽

대표 문제 1

해 ❶ (반지름)×2×(원주율)

=5×2×3.1=31 (cm)　　답▶ 31 cm

❷ (굴러간 거리)÷(접시의 원주)

=186÷31=6(바퀴)　　　답▶ 6바퀴

쌍둥이 문제 1-1

❶ (훌라후프의 원주)

=32×2×3=192 (cm)

❷ [전략] 굴러간 거리를 훌라후프의 원주로 나누자.

(굴린 바퀴 수)

=768÷192=4(바퀴)　　　답▶ 4바퀴

117쪽

대표 문제 2

구 둘레

해 ❶ 식 □×□×3.1=198.4

❷ □×□×3.1=198.4에서 □×□=64이고

8×8=64이므로 □=8이다.

➡ (반지름)=8 cm

(지름)=8×2=16 (cm)　답▶ 8 cm, 16 cm

❸ (지름)×(원주율)

=16×3.1=49.6 (cm)　　　답▶ 49.6 cm

쌍둥이 문제 2-1

❶ [전략] (원의 넓이)=(반지름)×(반지름)×(원주율)

시계의 반지름을 □cm라 하여 넓이를 구하는 식을 쓰면 □×□×3.14=314이다.

❷ □×□=100이고 10×10=100이므로 □=10이다.

➡ (반지름)=10 cm

(지름)=10×2=20 (cm)

❸ [전략] (원주)=(지름)×(원주율)

(시계의 둘레)

=20×3.14=62.8 (cm)　　답▶ 62.8 cm

118쪽

대표 문제 **3**

구 넓이

해 ❶ 색칠한 부분 중 일부를 옮기면 밑변의 길이가 14 cm, 높이가 14 cm인 직각삼각형이 된다.

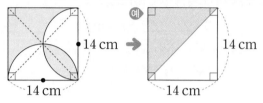

❷ $14 \times 14 \div 2 = 98$ (cm²)

참고 (삼각형의 넓이)=(밑변의 길이)×(높이)÷2

답 **98 cm²**

쌍둥이 문제 **3-1**

❶ 색칠한 부분을 다른 도형으로 바꾸어 그리기:

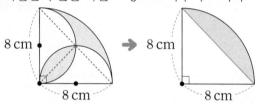

❷ 전략 (원의 넓이)÷4−(삼각형의 넓이)

(색칠한 부분의 넓이)
$= (8 \times 8 \times 3 \div 4) - (8 \times 8 \div 2)$
$= 48 - 32 = 16$ (cm²)

참고 (원의 넓이의 $\frac{1}{4}$)=(원의 넓이)÷4

답 **16 cm²**

119쪽

대표 문제 **4**

구 넓이

해 ❶ $12 \times 12 \times 3 \div 2 = 216$ (cm²) 답 **216 cm²**

참고 (반원의 넓이)=(원의 넓이)÷2

❷ $4 \times 4 \times 3 \div 2 = 24$ (cm²) 답 **24 cm²**
❸ $216 - 24 = 192$ (cm²) 답 **192 cm²**

쌍둥이 문제 **4-1**

❶ (반지름이 14 cm인 원의 넓이의 $\frac{1}{4}$)
$= 14 \times 14 \times 3 \div 4 = 147$ (cm²)

❷ (반지름이 6 cm인 원의 넓이의 $\frac{1}{4}$)
$= 6 \times 6 \times 3 \div 4 = 27$ (cm²)

❸ 전략 (❶에서 구한 넓이)−(❷에서 구한 넓이)
(오린 종이의 넓이)$= 147 - 27 = 120$ (cm²)

답 **120 cm²**

120쪽

대표 문제 **5**

구 둘레

해 ❶ (정사각형의 한 변의 길이)×2
$= 16 \times 2 = 32$ (cm) 답 **32 cm**

❷ (반지름이 16 cm인 원의 원주의 $\frac{1}{4}$)×2
$= (16 \times 2 \times 3 \div 4) \times 2 = 48$ (cm) 답 **48 cm**

❸ (직선 부분의 길이의 합)+(곡선 부분의 길이의 합)
$= 32 + 48 = 80$ (cm) 답 **80 cm**

쌍둥이 문제 **5-1**

전략 색칠한 부분을 둘러싸고 있는 직선 부분과 곡선 부분을 나누어 생각하자.

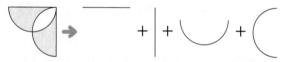

❶ (직선 부분의 길이의 합)
$=$ (정사각형의 한 변의 길이)×2
$= 12 \times 2 = 24$ (cm)

❷ (곡선 부분의 길이의 합)
$=$ (지름이 12 cm인 원의 원주의 $\frac{1}{2}$)×2
$= (12 \times 3 \div 2) \times 2 = 36$ (cm)

❸ (색칠한 부분의 둘레)$= 24 + 36 = 60$ (cm)

답 **60 cm**

121쪽

대표 문제 **6**

해 ❶ 직선 부분의 길이의 합은 지름의 4배이다.
➡ $8 \times 4 = 32$ (cm) 답 **32 cm**

❷ (지름이 8 cm인 원의 원주)
$= 8 \times 3.1 = 24.8$ (cm) 답 **24.8 cm**

❸ (직선 부분의 길이의 합)+(곡선 부분의 길이의 합)
$= 32 + 24.8 = 56.8$ (cm) 답 **56.8 cm**

쌍둥이 문제 6-1

전략 ▶ 끈을 직선 부분과 곡선 부분으로 나누어 생각하자.

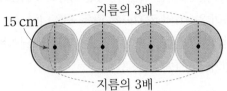

지름의 3배

15 cm

지름의 3배

① 전략 ▶ 직선 부분의 길이의 합은 지름의 몇 배인지 알아보자.

(직선 부분의 길이의 합)
= (지름의 6배) = 15 × 6 = 90 (cm)

② 전략 ▶ 곡선 부분을 모으면 지름이 15 cm인 원이 된다.

(곡선 부분의 길이의 합)
= (지름이 15 cm인 원의 원주)
= 15 × 3 = 45 (cm)

③ (사용한 끈의 길이) = 90 + 45 = 135 (cm)

답 ▶ 135 cm

---

3 STEP 수학 독해력 완성하기 122~125쪽

122쪽

독해 문제 1

구 만들 수 있는 가장 큰 원의 넓이

주 • 직사각형 모양 종이의 가로: 16 cm
• 직사각형 모양 종이의 세로: 20 cm

어 1 직사각형의 가로와 세로의 길이를 비교하여 가장
큰 원의 지름을 구한 후,

2 가장 큰 원의 넓이를 구하자.

해 ① 직사각형의 가로가 세로보다 더 짧으므로 만들 수
있는 가장 큰 원의 지름은 가로의 길이인 16 cm
이다.

답 ▶ 16 cm

② (가장 큰 원의 반지름)
= 16 ÷ 2 = 8 (cm)

(가장 큰 원의 넓이)
= 8 × 8 × 3.1 = 198.4 (cm²)

답 ▶ 198.4 cm²

독해 문제 2

구 원의 크기가 가장 작은 것

어 1 세 원의 지름을 각각 구한 후,

2 구한 지름을 비교하여 크기가 가장 작은 원을 찾자.

해 ① 답 ▶ **짧을수록**에 ○표

② ㉠ (지름) = 20 cm

㉡ (지름) = 57 ÷ 3 = 19 (cm)

㉢ (반지름) × (반지름) = 363 ÷ 3 = 121이고,
11 × 11 = 121이므로 (반지름) = 11 cm,
(지름) = 11 × 2 = 22 (cm)이다.

답 ▶ 20 cm, 19 cm, 22 cm

③ 지름을 비교하면 19 < 20 < 22이므로 원의 크기
가 가장 작은 것은 ㉡이다.

답 ▶ ㉡

독해 문제 2-1 　정답에서 제공하는 **쌍둥이 문제**

원의 크기가 가장 큰 것을 찾아 기호를 써 보세요. /
(원주율: 3)

㉠ 반지름이 8 cm인 원
㉡ 원주가 45 cm인 원
㉢ 넓이가 147 cm²인 원

어 1 세 원의 반지름을 각각 구한 후,

2 구한 반지름을 비교하여 크기가 가장 큰 원을
찾자.

해 ① 반지름이 길수록 큰 원이다.

② ㉠ (반지름) = 8 cm

㉡ (반지름) = 45 ÷ 3 ÷ 2 = 7.5 (cm)

㉢ (반지름) × (반지름) = 147 ÷ 3 = 49이고
7 × 7 = 49이므로 (반지름) = 7 cm이다.

③ 반지름을 비교하면 8 > 7.5 > 7이므로 원의
크기가 가장 큰 것은 ㉠이다.

답 ▶ ㉠

123쪽

독해 문제 3

구 쟁반의 원주

어 1 원의 지름이 □배이면 원주도 □배가 됨을 이용
하여

2 접시의 원주에 3을 곱하여 쟁반의 원주를 구하자.

해 ① 쟁반의 지름이 접시의 지름의 3배이므로 쟁반의
원주는 접시의 원주의 3배이다.

답 ▶ 3배

② (접시의 원주) × 3 = 31.4 × 3 = 94.2 (cm)

답 ▶ 94.2 cm

독해 문제 | 3-1   정답에서 제공하는 **쌍둥이 문제**

원 모양의 거울과 액자가 있습니다. /
거울의 지름은 액자의 지름의 2배입니다. /
액자의 원주가 46.5 cm일 때 /
거울의 원주는 몇 cm인가요? / (원주율: 3.1)

구 거울의 원주

주 • 거울의 지름은 액자의 지름의 2배

  • 액자의 원주: 46.5 cm

어 ❶ 원의 지름이 ☐배이면 원주도 ☐배가 됨을
   이용하여

  ❷ 액자의 원주에 2를 곱하여 거울의 원주를 구
   하자.

해 ❶ 거울의 지름이 액자의 지름의 2배이므로 거
   울의 원주는 액자의 원주의 2배이다.

  ❷ (거울의 원주)=(액자의 원주)×2
   $=46.5×2=93$ (cm)

답 **93 cm**

독해 문제 | 4

구 8점을 얻을 수 있는 부분의 넓이

주 • 가장 작은 원의 반지름: 4 cm

  • 반지름이 2 cm씩 커짐.

어
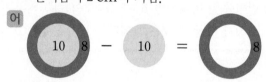

해 ❶ (8점 이상을 얻을 수 있는 부분의 반지름)
   $=4+2=6$ (cm)

   (8점 이상을 얻을 수 있는 부분의 넓이)
   $=6×6×3=108$ (cm²)

답 **108 cm²**

  ❷ $4×4×3=48$ (cm²)

答 **48 cm²**

  ❸ (8점 이상을 얻을 수 있는 부분의 넓이)
   −(10점을 얻을 수 있는 부분의 넓이)
   $=108-48=60$ (cm²)

답 **60 cm²**

독해 문제 | 4-1   정답에서 제공하는 **쌍둥이 문제**

다음 과녁판은 가장 작은 원의 반지름이 4 cm이고 /
반지름이 2 cm씩 커지도록 만든 것입니다. /
과녁판에서 6점을 얻을 수 있는 부분의 넓이는 몇
cm²인가요? / (원주율: 3)

구 6점을 얻을 수 있는 부분의 넓이

주 • 가장 작은 원의 반지름: 4 cm

  • 반지름이 2 cm씩 커짐.

어
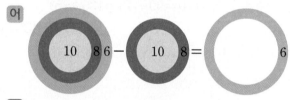

해 ❶ (과녁판 전체의 반지름)
   $=4+2+2=8$ (cm)

   (과녁판 전체의 넓이)
   $=8×8×3=192$ (cm²)

  ❷ (8점 이상을 얻을 수 있는 부분의 반지름)
   $=4+2=6$ (cm)

   (8점 이상을 얻을 수 있는 부분의 넓이)
   $=6×6×3=108$ (cm²)

  ❸ (6점을 얻을 수 있는 부분의 넓이)
   $=192-108=84$ (cm²)

답 **84 cm²**

124쪽

독해 문제 | 5

구 넓이

해 ❶ (한 변의 길이가 10 cm인 정사각형의 넓이)
   $=10×10=100$ (cm²)

   $\left($반지름이 10 cm인 원의 넓이의 $\dfrac{1}{4}\right)$
   $=10×10×3.1÷4=77.5$ (cm²)

  ➡ $100-77.5=22.5$ (cm²)

답 **22.5 cm²**

❷ 전략 ➊에서 주어진 도형과 넓이가 같다.

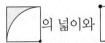 의 넓이와 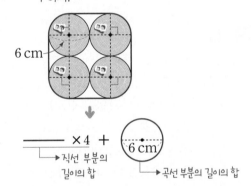 의 넓이는 같으므로

22.5 cm²이다. 답 **22.5 cm²**

❸ $22.5+22.5=45$ (cm²) 답 **45 cm²**

참고 색칠한 부분의 넓이를 구하기 어려운 경우에는 색칠한 부분을 넓이를 구하기 쉽게 여러 부분으로 나누어 생각해 본다.

125쪽

독해 문제 **6**

구 **길이**

해 전략 직선 부분과 곡선 부분으로 나누어 각각 길이의 합을 구하자.

6 cm

↓

 ×4 + ⬭ 6 cm

→직선 부분의   →곡선 부분의 길이의 합
길이의 합

❶ 직선 부분의 길이의 합은 지름의 4배이다.

→ $6\times4=24$ (cm) 답 **24 cm**

❷ (지름이 6 cm인 원의 원주)

$=6\times3.14=18.84$ (cm) 답 **6, 18.84 cm**

❸ (직선 부분의 길이의 합)

+(곡선 부분의 길이의 합)

$=24+18.84=42.84$ (cm) 답 **42.84 cm**

---

4 STEP 창의 융합 코딩 체험하기   126~129쪽

126쪽

융합 **1**

(반지름)=(컴퍼스의 침과 연필심 사이의 간격)

$=9$ cm

(원의 둘레)$=9\times2\times3.14=56.52$ (cm)

답 **56.52 cm**

창의 **2**

(페달을 한 번 돌릴 때 가는 거리)

=(바퀴의 지름)×(원주율)

$=30\times3.1=93$ (cm)

(페달을 돌려야 하는 횟수)

=(전체 거리)÷(페달을 한 번 돌릴 때 가는 거리)

$=930\div93=10$(번) 답 **10번**

참고 페달을 한 번 돌릴 때 가는 거리는 바퀴의 원주와 같다.

127쪽

창의 **3**

(1) (직사각형 모양 벽의 넓이)

$=15\times6=90$ (m²) 답 **90 m²**

(2) (원 2개의 넓이의 합)

$=(1\times1\times3)\times2=6$ (m²)

(작은 직사각형 2개의 넓이의 합)

$=(2\times1)\times2=4$ (m²)

→ $6+4=10$ (m²) 답 **10 m²**

(3) (직사각형 모양 벽의 넓이)

－(하늘색 페인트를 칠하지 않는 부분의 넓이의 합)

$=90-10=80$ (m²) 답 **80 m²**

(4) (하늘색 페인트를 칠하는 부분의 넓이)

÷(페인트 한 통으로 칠할 수 있는 넓이)

$=80\div10=8$(통) 답 **8통**

128쪽

창의 **4**

(도넛의 지름)=(도넛의 원주)÷(원주율)

$=21.98\div3.14=7$ (cm)

상자에 도넛이 한 줄에 3개씩 3줄로 들어가야 하므로 상자 밑면의 한 변의 길이는 $7\times3=21$ (cm) 이상이어야 한다. 답 **21 cm**

코딩 **5**

(트랙의 길이)

=(지름이 20 m인 원의 원주)

+(길이가 15 m인 선분)×2

$=(20\times3)+(15\times2)=60+30=90$ (m)

(기적 소리가 울린 횟수)

=(트랙의 길이)÷10$=90\div10=9$(번) 답 **9번**

129쪽

코딩 6

(1) (빨간색 선의 길이)
= (초록색 선의 길이)
= (지름이 40 cm인 원의 원주)÷2
= 40×3÷2=60 (cm)

답 **60 cm, 60 cm**

(2) (빨간색 선을 따라 도는 데 걸리는 시간)
= (빨간색 선의 길이)÷(1초 동안 움직이는 거리)
= 60÷6=10(초)
(초록색 선을 따라 도는 데 걸리는 시간)
= (초록색 선의 길이)÷(1초 동안 움직이는 거리)
= 60÷4=15(초)

답 **10초, 15초**

(3) (빨간색 선을 따라 도는 데 걸리는 시간)
+ (초록색 선을 따라 도는 데 걸리는 시간)
= 10+15=25(초)

답 **25초**

종합평가 실전 마무리 하기 | 130~133쪽

130쪽

1 ❶ 전략 (원주)÷(원주율)
(지름)=37.2÷3.1=12 (cm)
❷ (반지름)=12÷2=6 (cm)

답 **6 cm**

2 ❶ 전략 (훌라후프의 지름)×(원주율)
(훌라후프의 원주)=70×3=210 (cm)
❷ (굴린 바퀴 수)=5.5바퀴
❸ 전략 (훌라후프의 원주)×(굴린 바퀴 수)
(훌라후프가 굴러간 거리)
= 210×5.5=1155 (cm)

답 **1155 cm**

3 ❶ 전략 직사각형의 가로와 세로 중 더 짧은 길이가 가장 큰 원의 지름이 된다.
(가장 큰 원의 지름)=(직사각형의 세로)
= 14 cm
❷ (가장 큰 원의 반지름)
= 14÷2=7 (cm)
(가장 큰 원의 넓이)
= 7×7×3.1=151.9 (cm²)

답 **151.9 cm²**

131쪽

4 ❶ 전략 원의 지름이 □배이면 원주도 □배가 된다.
큰 바퀴의 지름이 작은 바퀴의 지름의 4배이므로 큰 바퀴의 원주는 작은 바퀴의 원주의 4배이다.
❷ 전략 (작은 바퀴의 원주)×4
(큰 바퀴의 원주)
= 12.56×4=50.24 (cm)

답 **50.24 cm**

5 ❶ 지름이 길수록 큰 원이다.
❷ ㉠ (지름)=46.5÷3.1=15 (cm)
㉡ (반지름)×(반지름)=198.4÷3.1=64이고,
8×8=64이므로 (반지름)=8 cm,
(지름)=8×2=16 (cm)이다.
❸ 지름을 비교하면 15<16이므로 원의 크기가 더 큰 것은 ㉡이다.

답 **㉡**

다르게 풀기

❶ 원주가 길수록 큰 원이다.
❷ ㉠ (원주)=46.5 cm
㉡ (반지름)×(반지름)=198.4÷3.1=64,
8×8=64이므로 (반지름)=8 cm,
(지름)=8×2=16 (cm)이다.
➡ (원주)=16×3.1=49.6 (cm)
❸ 원주를 비교하면 46.5<49.6이므로 원의 크기가 더 큰 것은 ㉡이다.

답 **㉡**

6 ❶ 거울의 반지름을 □cm라 하여 넓이를 구하는 식을 쓰면 □×□×3.14=78.5이다.
❷ □×□=25이고 5×5=25이므로 □=5이다.
➡ (반지름)=5 cm
(지름)=5×2=10 (cm)
❸ (거울의 둘레)
= 10×3.14=31.4 (cm)

답 **31.4 cm**

132쪽

7 ❶ 전략 색칠한 부분 중 일부를 옮겨서 넓이를 구하기 쉬운 직각삼각형으로 바꾸어 그릴 수 있다.
색칠한 부분을 다른 도형으로 바꾸어 그리기:

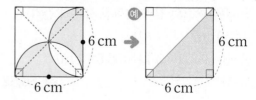

❷ [전략] (삼각형의 넓이)＝(밑변의 길이)×(높이)÷2

(색칠한 부분의 넓이)＝6×6÷2＝18 (cm²)

답 18 cm²

8 ❶ [전략] 길이가 21 cm인 선분이 2개 있다.

(직선 부분의 길이의 합)＝21×2＝42 (cm)

❷ [전략] 곡선 부분을 모으면 지름이 12 cm인 원이 된다.

(곡선 부분의 길이의 합)

＝(지름이 12 cm인 원의 원주)

＝12×3＝36 (cm)

❸ [전략] (직선 부분의 길이의 합)＋(곡선 부분의 길이의 합)

(도형의 둘레)＝42＋36＝78 (cm) 답 78 cm

133쪽

9 [전략]

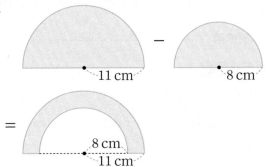

❶ (반지름이 11 cm인 반원의 넓이)

＝11×11×3÷2＝181.5 (cm²)

❷ (반지름이 8 cm인 반원의 넓이)

＝8×8×3÷2＝96 (cm²)

❸ (오린 종이의 넓이)

＝181.5－96＝85.5 (cm²)

답 85.5 cm²

10 [전략] 색칠한 부분을 둘러싸고 있는 직선 부분과 곡선 부분을 나누어 생각하자.

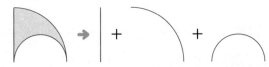

❶ (직선 부분의 길이)＝10 cm

❷ (곡선 부분의 길이의 합)

＝(반지름이 10 cm인 원의 원주의 $\frac{1}{4}$)

＋(지름이 10 cm인 원의 원주의 $\frac{1}{2}$)

＝(10×2×3÷4)＋(10×3÷2)

＝15＋15＝30 (cm)

❸ (색칠한 부분의 둘레)

＝10＋30＝40 (cm) 답 40 cm

6 원기둥, 원뿔, 구

FUN한 기억 노트

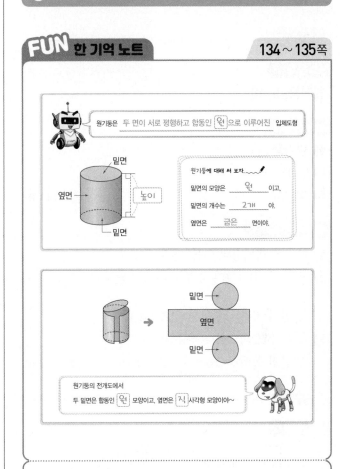

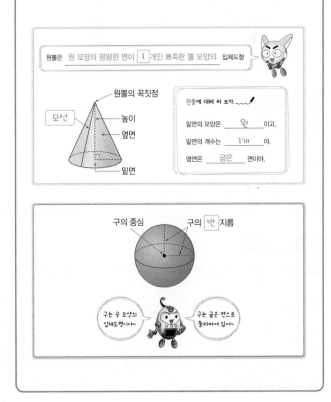

1 STEP 문제 해결력 기르기 136~141쪽

136쪽

선행 문제 1

원기둥, 5, 10

실행 문제 1

❶ 원기둥

❷ 9, 18

❸ 18, 54 답▶ 54 cm

쌍둥이 문제 1-1

❶ 만든 입체도형의 이름: 원뿔

❷ [전략] 직각삼각형의 밑변의 길이는 원뿔의 밑면의 반지름이 된다.

(밑면의 지름)=8×2=16 (cm)

❸ [전략] (밑면의 지름)×(원주율)

(밑면의 둘레)=16×3=48 (cm) 답▶ 48 cm

137쪽

선행 문제 2

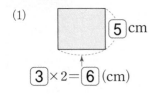

(1) $\boxed{5}$ cm

$\boxed{3}×2=\boxed{6}$ (cm)

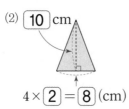

(2) $\boxed{10}$ cm

$4×\boxed{2}=\boxed{8}$ (cm)

실행 문제 2

❶ 11 cm

10 cm

❷ 10, 11, 55 답▶ 55 cm²

쌍둥이 문제 2-1

❶ [전략] 앞에서 본 모양을 그리고 밑변의 길이와 높이를 표시하자.

앞에서 본 모양 그리기 :

8 cm

14 cm

❷ [전략] (삼각형의 넓이)=(밑변의 길이)×(높이)÷2

(앞에서 본 모양의 넓이)

=14×8÷2=56 (cm²) 답▶ 56 cm²

138쪽

선행 문제 3 6, 37.2

실행 문제 3

❶ 5, 31

❷ 7

❸ 31, 7, 76 답▶ 76 cm

쌍둥이 문제 3-1

❶ [전략] 옆면의 가로는 한 밑면의 둘레와 길이가 같다.

(옆면의 가로)=4×2×3=24 (cm)

❷ [전략] 옆면의 세로는 원기둥의 높이와 같다.

(옆면의 세로)=9 cm

❸ (옆면의 둘레)=(24+9)×2=66 (cm) 답▶ 66 cm

139쪽

선행 문제 4

9, 27 / 27, 6, 162

실행 문제 4

❶ 6, 3.1, 37.2

❷ 37.2, 372 답▶ 372 cm²

쌍둥이 문제 4-1

❶ [전략] (옆면의 가로)=(밑면의 반지름)×2×(원주율)

붙인 종이를 펼쳐서 그리기 :

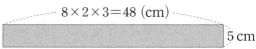

8×2×3=48 (cm)

5 cm

❷ (붙인 종이의 넓이)

=48×5=240 (cm²) 답▶ 240 cm²

140쪽

선행 문제 5 6, 6, 6

실행 문제 5

❶

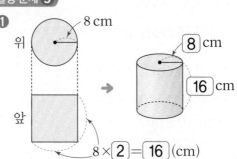

위 8 cm

앞 $\boxed{8}$ cm

$\boxed{16}$ cm

8×$\boxed{2}$=$\boxed{16}$ (cm)

❷ 16 답▶ 16 cm

쌍둥이 문제 5-1

① [전략] 조건을 그림으로 그려서 원기둥을 알아보자.

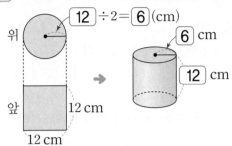

② (원기둥의 밑면의 반지름)=6 cm 답 **6 cm**

141쪽

선행 문제 6

47.1, 47.1, 15

실행 문제 6

① 93, 18.6
② 18.6, 6 답 **6 cm**

쌍둥이 문제 6-1

① [전략] (옆면의 세로)=(옆면의 넓이)÷(옆면의 가로)

(한 밑면의 둘레)=(옆면의 세로)
=144÷12=12 (cm)

② [전략] (밑면의 지름)=(한 밑면의 둘레)÷(원주율)

(밑면의 지름)=12÷3=4 (cm)

답 **4 cm**

수학 사고력 키우기 142~147쪽

142쪽

대표 문제 1

해 ① 답 예

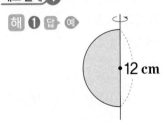

② [전략] (반원의 넓이)=(반지름)×(반지름)×(원주율)÷2

(반원 모양 종이의 반지름)=12÷2=6 (cm)
➡ (반원 모양 종이의 넓이)
=6×6×3÷2=54 (cm²) 답 **54 cm²**

쌍둥이 문제 1-1

① 돌리기 전의 직각삼각형 모양 그리기:

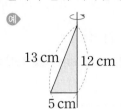

② [전략] (삼각형의 넓이)=(밑변의 길이)×(높이)÷2

(직각삼각형 모양 종이의 넓이)
=5×12÷2=30 (cm²) 답 **30 cm²**

143쪽

대표 문제 2

해 ① 앞에서 본 모양은 세로가 13 cm인 직사각형이다.

답 예

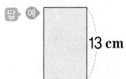

② (42−13−13)÷2=16÷2=8 (cm) 답 **8 cm**
③ (밑면의 지름)=(앞에서 본 모양의 가로)=8 cm
(밑면의 반지름)=8÷2=4 (cm) 답 **4 cm**

쌍둥이 문제 2-1

① [전략] 앞에서 본 모양의 세로는 원기둥의 높이와 같다.

앞에서 본 모양 그리기:

② [전략] ①에서 그린 모양의 둘레가 50 cm임을 이용하여 가로의 길이를 구하자.

(앞에서 본 모양의 가로)=(50−11−11)÷2
=28÷2=14 (cm)

③ (밑면의 지름)=14 cm
(밑면의 반지름)=14÷2=7 (cm) 답 **7 cm**

144쪽

대표 문제 3

해 ① (밑면의 반지름)×2×(원주율)
=4×2×3.1=24.8 (cm) 답 **24.8 cm**

② 답 **12 cm**

③ [전략] (한 밑면의 둘레)×4+(원기둥의 높이)×2

24.8×4+12×2
=99.2+24=123.2 (cm) 답 **123.2 cm**

쌍둥이 문제 3-1

❶ (한 밑면의 둘레)$=9 \times 3=27$ (cm)

❷ (원기둥의 높이)$=11$ cm

❸ (전개도의 둘레)$=27 \times 4+11 \times 2$
$$=108+22=130 \text{ (cm)} \quad \text{답} \ 130 \text{ cm}$$

145쪽

대표 문제 4

해 ❶ 롤러의 옆면을 펼치면 가로가 15 cm,
세로가 $2 \times 2 \times 3=12$ (cm)인 직사각형이 된다.
➡ (롤러의 옆면의 넓이)$=15 \times 12=180$ (cm^2)
답 180 cm^2

❷ (페인트가 칠해진 부분의 넓이)
$$=180 \times 3=540 \text{ (cm}^2) \quad \text{답} \ 540 \text{ cm}^2$$

쌍둥이 문제 4-1

❶ 롤러의 옆면을 펼치면 가로가 10 cm,
세로가 $3 \times 2 \times 3.1=18.6$ (cm)인 직사각형이 된다.
➡ (옆면의 넓이)$=10 \times 18.6=186$ (cm^2)

참고 롤러를 1바퀴 굴렸을 때 페인트가 칠해진 부분의 넓이는
옆면의 넓이와 같다.

❷ 전략 ❶에서 구한 넓이 $\times 2$를 구하자.
(페인트가 칠해진 부분의 넓이)
$$=186 \times 2=372 \text{ (cm}^2) \quad \text{답} \ 372 \text{ cm}^2$$

146쪽

대표 문제 5

해 ❶ 식 $(\square \times 3)$ cm

❷ 식 예 $(\square \times 3+\square) \times 2=56$

❸ $(\square \times 3+\square) \times 2=56$
➡ $(\square \times 4) \times 2=56$, $\square \times 4=28$, $\square=7$이므로
(원기둥의 높이)$=7$ cm이다. 답 7 cm

쌍둥이 문제 5-1

❶ 원기둥의 밑면의 지름을 $\square$ cm라 하면
전개도에서 옆면의 가로는 $(\square \times 3)$ cm이다.

❷ 전개도에서 옆면의 둘레를 구하는 식:
$(\square \times 3+\square) \times 2=88$

❸ $(\square \times 4) \times 2=88$, $\square \times 4=44$, $\square=11$
➡ (원기둥의 높이)$=11$ cm 답 11 cm

147쪽

대표 문제 6

해 ❶ 답 15

❷ (한 밑면의 둘레)$=$(옆면의 가로)
$$=837 \div 15=55.8 \text{ (cm)}$$
답 55.8 cm

❸ (밑면의 지름)$=$(한 밑면의 둘레)$\div$(원주율)
$$=55.8 \div 3.1=18 \text{ (cm)}$$
(밑면의 반지름)$=18 \div 2=9$ (cm) 답 9 cm

쌍둥이 문제 6-1

❶
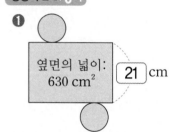
옆면의 넓이:
630 cm^2 21 cm

❷ 전략 ❶의 원기둥의 전개도에서 옆면의 넓이를 세로의 길
이로 나누어 가로의 길이를 구하자.
(한 밑면의 둘레)$=$(옆면의 가로)
$$=630 \div 21=30 \text{ (cm)}$$

❸ (밑면의 지름)$=30 \div 3=10$ (cm)
(밑면의 반지름)$=10 \div 2=5$ (cm) 답 5 cm

---

3 STEP 수학 독해력 완성하기 148~151쪽

148쪽

독해 문제 1

구 삼각형 ㄱㄴㄷ의 둘레

해 ❶ (변 ㄱㄴ)$=$(변 ㄱㄷ)$=$(모선의 길이)$=17$ cm
(변 ㄴㄷ)$=$(밑면의 반지름)$\times 2$
$$=8 \times 2=16 \text{ (cm)}$$

답
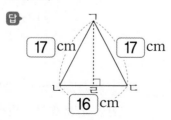
17 cm 17 cm
16 cm

❷ 전략 (변 ㄱㄴ)$+$(변 ㄴㄷ)$+$(변 ㄱㄷ)을 구하자.
$17+16+17=50$ (cm) 답 50 cm

독해 문제 | 2

구 가장 큰 원의 넓이

어 **1** 구의 중심을 지나도록 잘랐을 때 나오는 원이 가장 큰 원임을 알고,

2 가장 큰 원의 지름과 반지름을 구한 후,

3 가장 큰 원의 넓이를 구하자.

해 **1** 구의 중심을 지나도록 잘랐을 때 나오는 원이 가장 큰 원이다. 이때 원의 지름은 구의 지름과 같은 12 cm이다.

답 12 cm

2 (가장 큰 원의 반지름)
$=12\div2=6$ (cm)
(가장 큰 원의 넓이)
$=6\times6\times3.1=111.6$ (cm^2)

주의 가장 큰 원의 반지름을 구하지 않고
(가장 큰 원의 넓이)$=12\times12\times3.1=446.4$ (cm^2)로 구하지 않도록 주의한다.

답 111.6 cm^2

149쪽

독해 문제 | 3

구 원뿔을 위에서 본 모양의 넓이

주 •원뿔을 앞에서 본 모양:

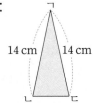

•삼각형 ㄱㄴㄷ의 둘레: 34 cm

어 **1** 삼각형 ㄱㄴㄷ의 둘레를 이용하여 변 ㄴㄷ의 길이를 구하고,

2 원뿔의 밑면의 반지름을 구한 후,

3 원뿔을 위에서 본 모양은 밑면의 모양과 같다는 것을 알고 밑면의 넓이를 구하자.

해 **1** (삼각형 ㄱㄴㄷ의 둘레)$-$(변 ㄱㄴ)$-$(변 ㄱㄷ)
$=34-14-14=6$ (cm)

답 6 cm

2 (변 ㄴㄷ)$\div2=6\div2=3$ (cm)

답 3 cm

3 원뿔을 위에서 본 모양은 밑면의 모양과 같으므로 반지름이 3 cm인 원이다.
➡ (위에서 본 모양의 넓이)
$=3\times3\times3.1=27.9$ (cm^2)

답 27.9 cm^2

독해 문제 | 3-1
정답에서 제공하는 쌍둥이 문제

앞에서 본 모양이 다음과 같은 원뿔이 있습니다. / 삼각형 ㄱㄴㄷ의 둘레가 30 cm일 때 / 이 원뿔을 위에서 본 모양의 넓이는 몇 cm^{2}인가요? / (원주율: 3)

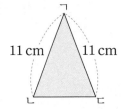

구 원뿔을 위에서 본 모양의 넓이

해 **1** (변 ㄴㄷ)
$=$(삼각형 ㄱㄴㄷ의 둘레)$-$(변 ㄱㄴ)$-$(변 ㄱㄷ)
$=30-11-11=8$ (cm)

2 (밑면의 반지름)
$=$(변 ㄴㄷ)$\div2=8\div2=4$ (cm)

3 원뿔을 위에서 본 모양은 밑면의 모양과 같으므로 반지름이 4 cm인 원이다.
➡ (위에서 본 모양의 넓이)
$=4\times4\times3=48$ (cm^2)

답 48 cm^2

독해 문제 | 4

구 모든 면의 넓이의 합

주 •밑면의 반지름: 4 cm

•옆면의 세로: 9 cm

어 **1** 한 밑면의 넓이를 2배 하여 두 밑면의 넓이의 합을 구하고,

2 옆면의 가로를 구하여 넓이를 구한 후,

3 **1**과 **2**에서 구한 값을 더하자.

해 **1** (한 밑면의 넓이)$=4\times4\times3=48$ (cm^2)
(두 밑면의 넓이의 합)
$=48\times2=96$ (cm^2)

답 96 cm^2

2 (옆면의 가로)$=4\times2\times3=24$ (cm)
(옆면의 세로)$=9$ cm
➡ (옆면의 넓이)$=24\times9=216$ (cm^2)

답 216 cm^2

3 (두 밑면의 넓이의 합)$+$(옆면의 넓이)
$=96+216=312$ (cm^2)

답 312 cm^2

정답과 풀이

독해 문제 | 4-1 　　　　　정답에서 제공하는 **쌍둥이 문제**

다음 원기둥의 전개도에서 /
모든 면의 넓이의 합은 몇 cm²인가요? / (원주율: 3)

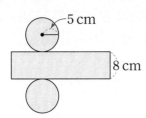

구 모든 면의 넓이의 합

주 •밑면의 반지름: 5 cm
　•옆면의 세로: 8 cm

어 **1** 한 밑면의 넓이를 2배 하여 두 밑면의 넓이
　　의 합을 구하고,
　2 옆면의 가로를 구하여 넓이를 구한 후,
　3 **1**과 **2**에서 구한 값을 더하자.

해 **1** (한 밑면의 넓이)$=5 \times 5 \times 3=75$ (cm²)
　　(두 밑면의 넓이의 합)$=75 \times 2=150$ (cm²)
　2 (옆면의 가로)$=5 \times 2 \times 3=30$ (cm)
　　(옆면의 세로)$=8$ cm
　　➡ (옆면의 넓이)$=30 \times 8=240$ (cm²)
　3 (모든 면의 넓이의 합)
　　$=$(두 밑면의 넓이의 합)$+$(옆면의 넓이)
　　$=150+240=390$ (cm²)　　답 **390 cm²**

151쪽

독해 문제 | 6

주 2, 540

해 **1** $540 \div 2=270$ (cm²)
　　　　　　　　　　　　답 **270 cm²**

　2 전략 롤러를 1바퀴 굴렸을 때 페인트가 칠해진 부분의
　　　　넓이는 옆면의 넓이와 같다.
　　(1바퀴 굴렸을 때 칠해진 부분의 넓이)$\div 18$
　　$=270 \div 18=15$ (cm)
　　　　　　　　　　　　답 **15 cm**

　3 (밑면의 지름)$=$(한 밑면의 둘레)$\div$(원주율)
　　　　　　　$=15 \div 3=5$ (cm)
　　(밑면의 반지름)$=5 \div 2=2.5$ (cm)
　　　　　답 **2.5 cm**$\left(=2\frac{1}{2}\ \text{cm}\right)$

독해 문제 | 6-1 　　　　　정답에서 제공하는 **쌍둥이 문제**

다음 원기둥 모양의 롤러에 페인트를 묻힌 후 /
3바퀴를 굴렸더니 /
페인트가 칠해진 부분의 넓이가 504 cm²였습니다. /
롤러의 밑면의 반지름은 몇 cm인가요? / (원주율: 3)

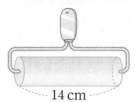

구 롤러의 밑면의 반지름

주 •롤러를 굴린 바퀴 수: 3바퀴
　•페인트가 칠해진 부분의 넓이: 504 cm²
　•롤러의 높이: 14 cm

어 '롤러를 1바퀴 굴렸을 때 페인트가 칠해진 부분
　의 넓이는 옆면의 넓이와 같다'는 것을 이용하자.

해 **1** (1바퀴 굴렸을 때 칠해진 부분의 넓이)
　　$=504 \div 3=168$ (cm²)
　2 (롤러의 밑면의 둘레)
　　$=168 \div 14=12$ (cm)
　3 (롤러의 밑면의 지름)
　　$=12 \div 3=4$ (cm)
　　(롤러의 밑면의 반지름)
　　$=4 \div 2=2$ (cm)　　답 **2 cm**

150쪽

독해 문제 | 5

주 32, 24, 4

해 **1** (밑면의 반지름)$\times 2 \times$(원주율)
　　$=4 \times 2 \times 3=24$ (cm)　답 **24 cm**

　2 상자의 밑면의 반지름이 4 cm로 정해져 있으므
　　로 전개도에서 밑면과 만나는 옆면의 가로의 길
　　이는 한 밑면의 둘레인 24 cm로 정해지게 된다.
　　　　　　　　　답 (　)(○)

　3

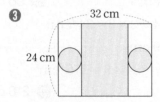

　　(직사각형의 가로)$-$(밑면의 지름)$\times 2$
　　$=32-(4 \times 2) \times 2=16$ (cm)　답 **16 cm**

4 STEP 창의 융합 코딩 체험하기 [152~155쪽]

152쪽

융합 ①

(두 구의 지름의 합)=(두 반원의 지름의 합)
　　　　　　　　＝(10×2)＋(17×2)
　　　　　　　　＝20＋34＝54 (cm)
따라서 눈사람 모양의 높이는 54 cm이다.

답 **54 cm**

> **참고** 구의 지름은 돌리기 전의 반원의 지름과 같다.

코딩 ②

원기둥의 높이는 13 cm이다.

답 **13 cm**

> **주의** 원기둥의 높이를 10 cm로 생각하지 않도록 주의한다. 10 cm는 밑면의 지름이다.

153쪽

창의 ③

구가 딱 맞게 들어가는 상자에 구를 넣은 모습은 아래 그림과 같다.

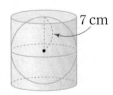
7 cm

(상자의 밑면의 지름)
＝(구의 지름)＝7×2＝14 (cm)
(상자의 전개도에서 옆면의 가로)
＝14×3.1＝43.4 (cm)
(상자의 전개도에서 옆면의 세로)
＝(구의 지름)＝14 cm

답
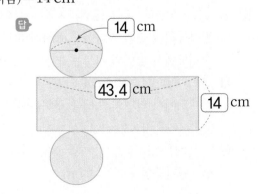
14 cm
43.4 cm
14 cm

창의 ④

지금 음료수 캔이 처음 떨어뜨린 곳으로부터 몇 cm 떨어져 있는지 구하려면 음료수 캔이 굴러간 거리를 구하면 된다.
(음료수 캔의 한 밑면의 둘레)
＝(밑면의 지름)×(원주율)
＝5×3.14＝15.7 (cm)
(음료수 캔이 굴러간 거리)
＝(음료수 캔의 한 밑면의 둘레)×(굴러간 바퀴 수)
＝15.7×6＝94.2 (cm)

답 **94.2 cm**

154쪽

코딩 ⑤

로봇은 구가 나오면 이동하지 않고, 원뿔이 나오면 오른쪽으로 1칸, 위쪽으로 1칸 이동한다.
주어진 도형은 구가 1개, 원뿔이 2개이므로 로봇은 오른쪽으로 2칸, 위쪽으로 2칸 이동하게 되므로 도착하는 곳은 ③이다.

답 **③**

코딩 ⑥

로봇은 원기둥이 나오면 오른쪽으로 2칸 이동하고, 원뿔이 나오면 오른쪽으로 1칸, 위쪽으로 1칸 이동한다.
주어진 도형은 원기둥이 2개, 원뿔이 1개이므로 로봇은 오른쪽으로 2＋2＋1＝5(칸), 위쪽으로 1칸 이동하게 되므로 도착하는 곳은 ④이다.

답 **④**

155쪽

창의 ⑦

(1) 답
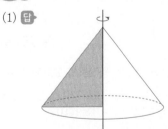

(2) (원뿔의 밑면의 지름)＝8×2＝16 (m)
　　(원뿔의 밑면의 둘레)＝16×3＝48 (m)

답 **48 m**

(3) 예준이가 10초에 60 m를 가는 빠르기로 일정하게 달리므로 한 바퀴 달리는 데 걸리는 시간을 □초라 하면 10 : 60＝□ : 48이다.
　　10×48＝60×□, 60×□＝480,
　　□＝8이므로 8초가 걸린다.

답 **8초**

156쪽

1 ❶ (원기둥의 높이)=15 cm

❷ (원뿔의 높이)=9 cm

❸ 원기둥의 높이가 15−9=6 (cm) 더 높다.

답 원기둥, 6 cm

주의 원기둥의 높이를 12 cm라고 생각하지 않도록 주의한다.

2 ❶ 만든 입체도형의 이름: 원기둥

❷ 전략 직사각형의 가로는 원기둥의 밑면의 반지름이 된다.

(밑면의 지름)=4×2=8 (cm)

❸ (한 밑면의 둘레)=8×3.1=24.8 (cm)

답 24.8 cm

3 ❶ 전략 삼각형 ㄱㄴㄹ의 세 변의 길이가 원뿔의 어느 부분과 길이가 같은지 알아보자.

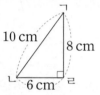

10 cm 8 cm 6 cm

❷ (삼각형 ㄱㄴㄹ의 둘레)=10+6+8=24 (cm)

답 24 cm

157쪽

4 ❶ 전략 구의 중심이 지나도록 잘랐을 때 나오는 원이 가장 큰 원이다.

(가장 큰 원의 지름)=10 cm

❷ (가장 큰 원의 반지름)=10÷2=5 (cm)

(가장 큰 원의 넓이)=5×5×3=75 (cm²)

답 75 cm²

5 ❶ 전략 앞에서 본 모양의 가로는 원기둥의 밑면의 지름과 같다.

앞에서 본 모양 그리기: 9×2=18 (cm)

❷ 전략 ❶에서 그린 모양의 둘레가 58 cm임을 이용하여 세로의 길이를 구하자.

(앞에서 본 모양의 세로)

=(58−18−18)÷2=22÷2=11 (cm)

❸ (원기둥의 높이)=11 cm 답 11 cm

6 ❶ 전략 옆면의 가로는 한 밑면의 둘레와 길이가 같다.

(옆면의 가로)=6×2×3=36 (cm)

❷ 전략 옆면의 세로는 원기둥의 높이와 같다.

(옆면의 세로)=4 cm

❸ (옆면의 둘레)=(36+4)×2

=40×2=80 (cm)

답 80 cm

158쪽

7 ❶ 롤러의 옆면을 펼치면 가로가 12 cm, 세로가 5×3.1=15.5 (cm)인 직사각형이 된다.

❷ 전략 롤러를 1바퀴 굴렸을 때 페인트가 칠해진 부분의 넓이는 옆면의 넓이와 같다.

(옆면의 넓이)=12×15.5=186 (cm²)

(페인트가 칠해진 부분의 넓이)=186 cm²

답 186 cm²

8 ❶ (변 ㄴㄷ)=20−8−8=4 (cm)

❷ 전략 (밑면의 지름)=(변 ㄴㄷ의 길이)

(밑면의 반지름)=4÷2=2 (cm)

❸ 원뿔을 위에서 본 모양은 밑면의 모양과 같으므로 반지름이 2 cm인 원이다.

➡ (위에서 본 모양의 넓이)

=2×2×3.14=12.56 (cm²) 답 12.56 cm²

159쪽

9 ❶ 전략 (옆면의 세로)=(옆면의 넓이)÷(옆면의 가로)

(한 밑면의 둘레)=(옆면의 세로)

=434÷20=21.7 (cm)

❷ 전략 (밑면의 지름)=(한 밑면의 둘레)÷(원주율)

(밑면의 지름)=21.7÷3.1=7 (cm)

❸ (밑면의 반지름)=7÷2=3.5 (cm)

답 3.5 cm($=3\frac{1}{2}$ cm)

10 ❶ 전략 (옆면의 가로)=(밑면의 지름)×(원주율)

원기둥의 밑면의 지름을 □cm라 하면 전개도에서 옆면의 가로는 (□×3) cm이다.

❷ 전략 ((옆면의 가로)+(옆면의 세로))×2=(옆면의 둘레)

전개도에서 옆면의 둘레를 구하는 식:

(□×3+□)×2=72

❸ (□×4)×2=72, □×4=36, □=9

➡ (원기둥의 높이)=9 cm 답 9 cm

수학 심화 문제 해결서

상위권 실력 완성

최고수준
수학

상위권 필수 교재

각종 경시 유형 문제와
완벽한 피드백 제공으로 실전에 강한
수학 상위권 실력 완성

심화 유형 집중 공략

대표 심화 유형 문제 및
쌍둥이 문제, 발전 문제 수록으로
심화 유형 집중 학습 가능

다양한 부가자료

유명강사의 명강의를 들을 수 있는
문제풀이 동영상 강의 및
나만의 오답노트 앱 제공

한 문제에 울고 웃는
상위권을 위한 수학교재
(초등 1~6학년 / 학기별)

정답은
이안에
있어.!

난이도 별점
쉬움 ★
보통 ★★★
어려움 ★★★★★
최상위 ★★★★★★★

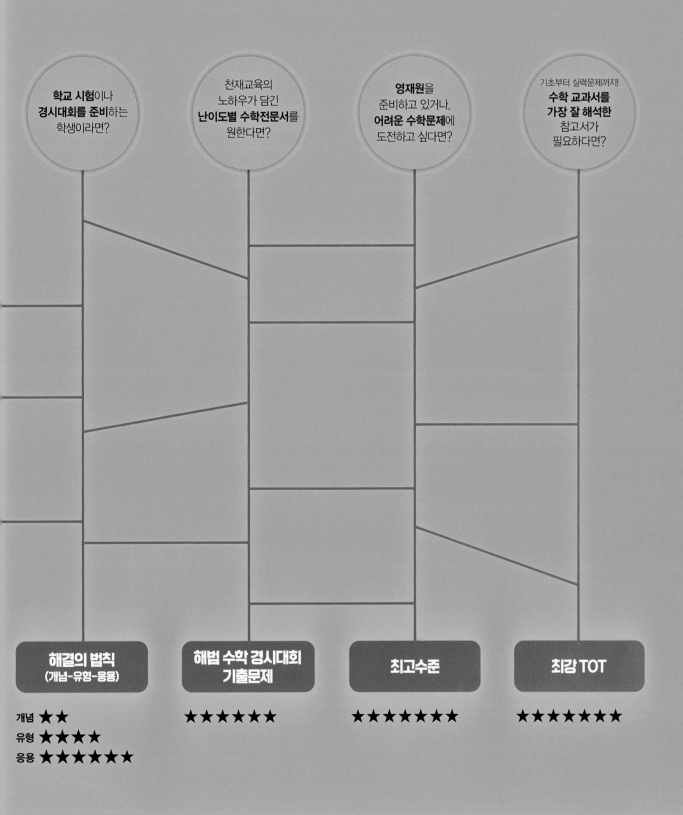

학교 시험이나
경시대회를 준비하는
학생이라면?

천재교육의
노하우가 담긴
난이도별 수학전문서를
원한다면?

영재원을
준비하고 있거나,
어려운 수학문제에
도전하고 싶다면?

기초부터 실력문제까지!
수학 교과서를
가장 잘 해석한
참고서가
필요하다면?

해결의 법칙
(개념-유형-응용)

해법 수학 경시대회
기출문제

최고수준

최강 TOT

개념 ★★
유형 ★★★★
응용 ★★★★★★

★★★★★★★

★★★★★★★

★★★★★★★

배움으로 행복한 내일을 꿈꾸는
천재교육 커뮤니티 안내

....

 교재 안내부터 구매까지 한 번에!
천재교육 홈페이지

천재교육 홈페이지에서는 자사가 발행하는 참고서,
교과서에 대한 소개는 물론 도서 구매도 할 수 있습니다.
회원에게 지급되는 별을 모아 다양한 상품 응모에도
도전해 보세요.

 구독, 좋아요는 필수! 핵유용 정보 가득한
천재교육 유튜브 <천재TV>

신간에 대한 자세한 정보가 궁금하세요?
참고서를 어떻게 활용해야 할지 고민인가요?
공부 외 다양한 고민을 해결해 줄 채널이 필요한가요?
학생들에게 꼭 필요한 콘텐츠로 가득한 천재TV로 놀러오세요!

 다양한 교육 꿀팁에 깜짝 이벤트는 덤!
천재교육 인스타그램

천재교육의 새롭고 중요한 소식을 가장 먼저 접하고 싶다면?
천재교육 인스타그램 팔로우가 필수!
누구보다 빠르고 재미있게 천재교육의 소식을 전달합니다.
깜짝 이벤트도 수시로 진행되니 놓치지 마세요!